天下 雜誌
觀 念 領 先

The Magic of Memos

メモの魔力

筆記的魔力

掌握筆記的魔力，
你， 可以實現任何事

日本當今最受注目創業家
前田裕二 著
陳維玉、吳乃慧　譯

推薦序

瘋狂卻有效的魔法

吳娟瑜

作者前田裕二社長笑稱自己是個瘋狂的人，他把注意到的事物或腦海閃過的靈感，透過筆和紙立刻記載。求職的時候還深入分析自己，把自我反省的內容寫進筆記本。

多達三十本的「自我分析筆記」確實壯觀，一般研究者、作家或藝術家有著記錄靈感、修正原稿的習慣，但一般社會人士為什麼可以著迷成如此呢？

根據前田裕二社長的說法，「我認為在這處世艱難、沒有魔法瞬間改變一切的社會上，唯有筆記才有大幅改變人生的魔力。」

注意這段話裡的「魔法」、「瞬間」、「改變」這三個關鍵詞，點明了本書的最大效益，鼓勵大家若要找對人生目標、儘早出人頭地，透過寫筆記，對自己不停地發問，將可快速找到扭轉命運，改變人生的好方法。

我自己有一段時間也是在筆記本中不停地自問自答，當時單一個問句就真的改變我後來的際遇。

「五年內，最想達成的十項人生目標？」

記得在不同時段，我寫下來的第一項都是「出國留學」，當時正值壯年、先生創業中，兩個兒子唸大學，看來是遙遙無期的目標，卻在一次又一次的自問自答中找到堅定的意志力、找到發揮潛力的方向。

後來，我花了四年，每年一月到四月至美國印地安納波利斯大學完成應用社會學碩士，這段敢於夢想的努力，多年後翻閱陳舊的筆記本時，總能看到那「出國留學」四個字仍鮮活有力地映入眼簾，我確實得到書寫筆記的魔力。

目前我還是有做筆記的習慣，寫作的構思、PO FB的短句、演講中分享的例子，一一記錄下來。這些一閃而過的靈感，若沒及時抓住，往往瑣事絆身，或電話聲響，彷如過眼雲煙，立刻消失無蹤。

前田裕二社長的問句很有趣，也很深入，由於都是日常生活中的點滴，也是個人內心深處的隱憂，因此一句、一句又一句地問進去，往往可以對自己的想法更釐清，也懂得適時調整人生方向。

確實，「將自己的夢想、期待寫在紙上，增加它們的強度」，我自己試著將書中的問題一一問自己，對自己又有更深一層的自我理解，原來我不只是「現在的我」，我還有更大的成長空間哩！

一本陪伴在身旁的「良師益友」，讓我們不但可以「往內」自我探索、自我肯定，還可以「往外」找到行動方案、行動力量，值得一讀啊！

（本文作者為國際演說家暨人際溝通專家）

推薦序

人生，靠「記錄靈感」出奇制勝！

馬大元

我的身心科診所，有超過四分之一的患者是學生。

面對每位來就診的未來主人翁，我都會把握機會，探索一個極為關鍵的議題，「你的夢想是什麼？」

很難想像，超過八成青少年，聽到這個問句，會自動呈現一臉迷惘，然後搖搖頭，或是聳聳肩。

「最讓你熱血沸騰的是什麼？」換一個角度，我會再問一次。

這時，得到的答案通常還是「沒有」，伴隨著更為悵然若失的神情。

為什麼會這樣？《筆記的魔力》中，有著明確的答案——多數孩子，在成長過程中，沒有反覆進行「自我了解」的修練。

本書作者前田裕二，本身也是一位七年級的年輕人。早年困頓，卻能力爭上游。對於「如何善用大腦實現夢想」，更有著令人驚訝的超齡見解。為了分析自我，作者竟然用掉三十本筆記，自問自答超過一千個問題……用功之深，令人動容。

拜制式教育之所賜，提到「筆記」，我們就會聯想到學生時期，認真地一筆一畫，將黑板上密密麻麻的內容逐字記錄，深怕漏掉任何寶貴的考試線索……

而本書所推廣的筆記，卻全然不是如此。主要記錄下的，不是已知的「事實」，而是更為寶貴的「創見」！

回想我近期寫作的緣起與過程，有幸與書中做法完全一致……

「現實生活中確實有人可以快速且持續地讓自己改變……為什麼？這樣的

經驗有可能複製嗎？」

「看診時多數人的煩惱，都有著難以言喻的相似性……那是什麼？有解嗎？」

這兩個事實觀察，以及後續的深入探討，化為千百張筆記小紙片，最後整理、集結成《心靈影像的力量》、《導演症候群》這兩本我有自信能夠幫助人改變一生的心理著作。

可以讓人走出生命幽谷、進而發光發熱的「靈感」，我相信每個人都有，但總是稍縱即逝。如書中所述，筆記本就像是「外接硬碟」、「第二大腦」，讓我們在這個資訊爆炸的時代，不會只能隨波逐流。一枝筆、一本筆記，加上書中介紹的「事實→抽象思考→轉用」筆記法……你也可以發掘自我、開發智慧，最終實現夢想！

（本文作者為身心科醫師、馬大元診所負責人）

序章

懂得筆記技巧便能所向無敵

「為什麼要做那麼多筆記呢？」

「你有寫過那麼多字嗎？」

「就算做了筆記，你之後會再回去看嗎？」

這不是我愛誇大其辭，大致上每隔幾天就會有人問我上面幾個問題。因為做筆記這件事對我來說再自然也不過，所以沒有特別深入思考過這些問題。一年三百六十五天之中，我做了非常大量的筆記。從早上起床到晚上就寢為止，隨時都在可以做筆記的狀態之中。甚至有人說，「能做到這種程度，也真是瘋狂。」這真的是種做筆記的狂熱。所以便開始反問自己，「怎麼會那麼喜歡做筆記呢？」然後也開始思考筆記的魔力，這也是撰寫本書的原因。

即使是看電影或戲劇，只要感興趣的地方都會做很多筆記。以一部作品而言，多的時候可以寫一百多條筆記，少的時候也會寫下數十個重點。曾經有人問道，「那齣戲你覺得好看嗎？」我回答，「實在是太好看了！我有十個感想呢……」然後那個人就逃跑了！（笑）

走在街道上時，為了能讓自己的心吸收眾多資訊，總是儘量繃起自己的神經，思考著「那個廣告招牌為什麼要做這種設計」、「這則廣告為什麼要用這樣的標語來宣傳」。不斷與街道進行對話，所以時常會停下來筆記注意到的地方或突然想到的事情。

當某項事物在電影、電視或在網路上大紅大紫，掀起一股風潮時，自己就會無法抑制住旺盛的好奇心，馬上思考，「為什麼這些東西會這麼受人歡迎呢？」然後立刻記錄在自己的筆記本上。在參加任何活動、聚會或午餐約會時，當然也在先取得對方同意之下，將自己所有注意到的地方或在腦中閃過的任何靈感，全都記錄下來。

求職時，為了深入分析自己，持續寫著自我反省的筆記，用自己特有的方式寫了多達三十幾本的「自我分析筆記」。有關創業的想法也記錄在筆記本裡，寫在筆記本上的商業運作模型大概超過一百個。

為什麼會對筆記執著到近乎瘋狂的地步呢？

我相信在這處世艱難、沒有魔法瞬間改變一切的社會上，唯有筆記才有大幅改變人生的魔力，而且確信在未來，這種魔力會引導我的人生往正確的方向。

筆記到底有什麼樣的魔力呢？首先，筆記可以把所有日常生活中零碎發生的小事，轉變成自己的想法。乍看之下毫無價值、普通到任誰都會不小心錯過的事情，也會因為寫下筆記而變成自己獨特的想法。**筆記的魔力在於可以將日常瑣事轉變為獨特的想法**。

還有，**不只產出想法，筆記對「個人生活」影響最大，可以藉此得知「自**

我的內在」，也就是說可以深入分析自我。如果提出可以透過筆記「了解自我」這樣的說法，也許會有其他人認為，「現在才在尋找自我啊？」

在當今世代，理解自我是一件非常重要的事。在未來社會，人們會重視的並不是擁有多少財富，而是能否觸及他人內在的情感和引發「內在價值」的共鳴。我幾乎可以毫不猶豫地說，**在未來社會裡「價值經濟」將大為盛行。我堅信在那樣的時代裡，唯有「充分理解自我，熱衷投入某項事物的人」，才能成為引發眾人有所共鳴的人物，換句話說，也就是成為擁有自我價值的人。**

筆記可以指引人生方向

提到了解自我的經驗，應該就是求職時每個人都要做的「自我分析」。話雖如此，也不是每個人都是「為了面試，不得已才做『自我分析』」。

自己喜歡什麼？討厭什麼？自己擅長什麼？哪些又是不擅長的部分？大部

分的人都是在實際有需要時，甚至是在不十分情願的情況下，才開始仔細整理自己的內在價值。

據我所知，通常沒有人會全部完成自我分析。許多人都只是做了一半就放棄，在沒有深入理解自我、沒有一個衡量事物價值標準的情況下，持續在社會上隨波逐流，過著漫無目的的茫然生活。當然，這也是一種生活方式，絕不是要否定它。不過，這也是在決定「要度過沒有價值標準的人生，因為這是屬於自己的幸福」這樣的前提之下度過一生。

當突然有人問道**「你是怎樣的人」**、**「未來有什麼計畫」**、**「你覺得最重要的事是什麼」**，應該沒有人可以馬上回答吧？

許多人都在不了解自我的狀態下生活。因此每當要做重要決定時，總是十分迷惘，無法精準判斷。好不容易奇蹟似地擁有「生而為人，可以快樂地生活在這個時代」的權利，並且從老天爺手上獲得人生這個無價寶藏，居然沒有發揮它最大的價值，甚至還可能把它浪費掉。

與戰爭時代或帶有階級身分制度的時代相比，生活在現代社會的我們沒有受到太大的限制，可以自由自在生活。現代社會中，有無數的生活方式可以選擇做任何自己想做的事，但是也正因為太過自由而讓人煩惱。現在有許多人不知道要過著怎樣的生活才算是幸福，不斷在人生的旅途上迷航，失去方向。或許還有人覺得，如果能有誰幫忙決定自己的人生方向，倒也比較輕鬆。

一旦能深入理解自我，便能依照明確的價值觀與生死觀，朝正確的方向前進。換句話說，這樣**才能取得如何航行於茫茫人生大海中的指南針，為自己指出正確的人生方向**。

所謂的人生指南，也就是「人生的基本方向」，擁有正確方向的人不容易迷失，沒有基本方向的人，便常常會因為某些事情而感到迷惘，無法專注地迅速向前。理解自己會對什麼樣的事物感到喜悅、對哪一種事物能感受到幸福，充分了解自我價值的所在便會形成一股龐大的動力，推動人們向前邁進。

理解自我，才能取得明確的「人生方向」。

本書將介紹的「筆記」，正是可以發揮此項功能的有力工具。

做筆記就能改變人生，絕對不是因為「這次要把這些資料集結成書」的念頭，才有如此誇張的形容，而是我百分之百從內心湧出的真實感想。將所有資訊轉變為有用的想法。以客觀的態度看待自己、理解自己，進而找出自己人生的方向。

筆記，是一個可以拓展自我可能、讓人生變得更幸福的不二法門。

運用筆記實現夢想

筆記的魔力在於可以讓夢想成真。

在無法重來的人生裡，只在內心想著「想實現這種情況」、「想試試看這種事」、「能變成這樣該有多好」，卻老是不去實踐，夢想永遠不會成真。這些滿懷熱情的期待，總是會在不知不覺間變得平淡，消失得無影無蹤。人們心中的許多願望，大多僅止於這種程度。

要防止這種情形，做筆記是一個好方法。**將自己的夢想、期待寫在紙上，增加它們的強度**。因為寫在紙上的字句，可以一再反覆檢視、翻閱，希望實現那些字句的心情也會越發強烈，緊緊纏繞在心頭難以抹去，因此便能長期持續夢想或期待的熱情。

現代社會裡，我認為**「真正厲害」的人才，是「擁有明確目標的人」**——有理念，且有夢想與熱情。雖然這樣可能有點輕理智而重感性，但正因為感性的人擁有強烈的動機，才能在社會上留下明顯的足跡。

我自己也正朝著夢想努力前進，能走到現在這樣的程度，也不得不說筆記有很大的幫助。

我在小學時失去父母，曾經在街頭上彈奏吉他，維持生計。現在回想起來，當時也曾經將設想——「要怎樣才能吸引群眾」、「怎麼樣才能讓聽眾再度上門」、「有什麼方法可以讓聽眾掏出錢來」一一詳細寫在小筆記本上，也就是反覆進行著「PDCA」（計畫、執行、檢查、行動）的程序。（當然那時連「設想」這個辭彙都還不清楚，所以也還沒有「PDCA」的想法。）

在這之後，不管是讀書或就業，或是進入社會想要創業，都一直依賴筆記來克服人生旅程中的種種難關。我現在會有這樣的成績，可以說都是筆記的功勞。

先暫時放下自己對筆記的滿腔回憶，讓心情平靜下來，為想閱讀本書的各位讀者簡單介紹這本書內容的概要。

首先，在第一章裡具體地向各位介紹筆記的優點和功能。在這之中，特別針對「筆記可以將日常事物轉變為有用的想法」這一部分，進行仔細探討。也就是探討應如何實行，才能把每天生活上的瑣事轉變成獨特的想法，並實踐、力行。

接著，在第二章裡，以**「運用筆記深入思考」**為題，討論本書的關鍵字「抽象思考」。**要讓筆記孕育出新的想法、製造出全新的價值，必須擁有「抽象思考力」這個武器**。為了能讓各位讀者在閱讀本書之後，馬上擁有抽象思考力，將說明抽象思考的三種類型，並具體分析我們平常如何進行思考。

第三章是**「用筆記認識自己」**。即使再怎麼靈活運用筆記，產生新的想法，或是學習非常厲害的思考方式，只要對自己想做的事沒有明確的認知，就沒有任何功效。這就像是雖然獲得傳說中的尚方寶劍，但根本沒有需要打倒的魔王。首先要定義需要打倒的魔王長什麼樣子？**也就是說，藉由筆記來理解自己，進而得到自己人生的基本方向與目標**。要怎麼做才好呢？將說明前田獨創的**「自我分析筆記」記錄法**，並教導各位理解自我的方法。

在第四章裡，則向各位說明**「用筆記實現夢想」**的方法。或許有些人會覺得這有點抽象，但我真心認為能透過科學方式來證明筆記可將腦中思考轉為具體事物的日子已經不遠。為什麼會這麼有自信呢？因為**我透過筆記的協助，逐一實踐了一般人眼中覺得很困難的「夢想」**。我將向各位介紹如何條列並筆記夢想、如何把自己的理想標上先後順序、如何建構自己的人生藍圖與架構及如何實踐自己擁有的夢想等。

在最後的第五章裡，想再向各位讀者介紹**「筆記是一種生活方式」這種哲學。筆記不只是種「知識」，而是種「態度」**，這是我的建議，也是我的生活風格。將筆記變成像每天「刷牙」一樣的習慣，生活方式便會改變，進而實現夢想。在這個章節裡也會具體告訴各位如何將筆記變成一種習慣，另外也會與各位談談如何與筆記一起度過人生。

接著在本書的最後，以特別附錄的形式準備了「自我分析一千題」。老實說，這對讀者而言，是份數量龐大的問題集。

透過演講等機會與各位交流接觸時，雖然大家最常提出的問題是「不知道自己想做什麼」，但我無法每一次都具體提出解答回答各位的問題。

為什麼會這麼說呢？

為了找到真的想投入的事，我總共已經累積了三十多本筆記。**每兩頁會記錄一個疑問**，所以一本平均有六十頁的B5大小筆記本裡，可以記錄三十個疑問，三十本筆記的話，總共記錄了九百個問題。實際上三十多本筆記本剛好記錄了約一千個疑問的答案。沒辦法把三十多本的筆記本給大家看，一直思考要怎麼樣才能解決這個問題，最後得出了「只要請各位讀者回答我曾詢問自己的同樣問題即可」這樣的結論。

當然，各位讀者不須全部回答這一千個問題。

不過，當你不知道自己真的想做什麼的時候，或是對自己的人生感到迷惘時，隨時都可以再回來翻閱本書的這個部分。本書中特地蒐集了對自我分析的一千個疑問，正是為了各位對自己的人生產生疑惑時，可以再回來翻閱，讓各位覺得「只要做到這些事，就不會有問題」，希望這一千個問題集可以變成各位重回出發點時的參考。

前段的問題都是相當重要且深入核心的疑問，各位在回答這些問題時，一定很快就可以發現自己重要的價值觀，進而找到人生的目標，這樣一來就可以知道自己的人生之船應該往哪一個方向航行。「自我分析」不僅限學生才可以參加，這些問題也適用於對現在的工作型態或內容有所疑問、對自己未來目標感到茫然的社會人士。**這一千個問題集一定可以改變各位的人生**。

閱讀本書至此的各位，有沒有一種想要立刻開始做筆記的感覺呢？希望各位能保持著這股高昂的興致繼續閱讀本書的主要內容，然後便能獲得「筆記」這種無限的魔力。

歡迎各位進入美好的筆記世界！

前田裕二

目次

第二章 運用筆記深入思考

第三章 用筆記認識自己

第四章 用筆記實現夢想

第五章 筆記是一種生活方式

第一章

用筆記將日常瑣事轉變為自我創意

運用筆記作為「第二個大腦」

經過他人的提醒，我才發現自己每天做筆記的份量是如此龐大。這個份量恐怕是其他人一個星期或者是一個月左右才會累積出來的程度，我卻在一天之內稀鬆平常地完成。

為什麼我會對做筆記如此瘋狂呢？有好幾個原因，首先最重要的是，在這時間有限的殘酷人生旅程中，**「想要儘量把時間多分配在處理『重要的事物本質』上」**。

重要的**事物本質**是什麼意思呢？它指的是**創新**、**創造**，而非複製、抄襲，是找不到可以替代的物品，而非輕易地可遭其他事物取代。換句話說，也就是指**具創造力**、**能產生新智慧的思考**，**或是只有自己可以達成**，**沒有其他事物可取代的高創造力思考**。會做筆記，是因為即使只多一秒鐘，也想儘量把有限的時間分配在這種有價值的重要思考上。

對個人時間運用上的管理，嚴格執行到這種程度是十分耗費心神的一件事。隨著ＡＩ人工智慧的進步發展，各種作業程序也隨之變得更有效率，人類在這樣的時代潮流中所扮演的角色也有所改變。也就是說，各位都十分明白**在未來世界裡需要創造力和獨創力的工作都會大幅增加。在這樣的大環境改變之下，沒有多餘的時間可以將珍貴的思考浪費在附加價值低落的事物上。因此，所有生活在未來世界的人們都應該重新檢視筆記的價值，並將其視為必須學習的基本讀寫能力之一**。

關於「想把時間多分配在處理『重要事物本質』上」，我再多舉一些具體的例子讓各位思考。「之前的會議上討論了什麼內容」、「之前誰坐在那個位子上，坐了幾個人」、「之前是什麼時候跟那個客戶見面」這類型的資訊本身絕對不屬於需要創造力的內容，單純只是一項「事實」而已。

在事前已經了解該項事實的前提之下，之後還可以有什麼樣的發展？然後可以採取什麼樣的行動？正因為可以再進一步深入思考，才能稱為創造力。簡單地說，為了不將時間浪費在「思考過去的事實」這種多餘的事情上，便要做筆記。

筆記本是增進人們記憶的「第二個大腦」，也就是所謂的「外接式硬碟」，為了之後方便搜尋檢索而記錄。不用說的是，「第一個大腦」就是自己能發揮創造力的腦袋。

因為仰賴第二個大腦的外接式硬碟，儲存須記憶事實的部分，自己大腦中便有充足的空間供需要創造力的思考來運作，這樣才能製造更多的附加價值。因為在第二個大腦中儲存的事實，也有可能成為第一個大腦產出新創意時的種子，**所以一有任何發現就做筆記的習慣，是提升創造力的第一步**。

做筆記不是為了「記錄」，而是為了「產出智慧」

筆記可分為兩種，一種是「記錄用」筆記，也就是擷取資訊或事實的部分狀態，加以保存的筆記。「memo」這個單字源於拉丁文的「memini」，帶有「記憶」的意思。仔細觀察「memory」或「remember」這兩個單字，都帶有「mem」的組合。有關記憶方面的英文單字，大家應該也會發現有許多詞彙中都有「mem」這樣的字根、字首。一般大眾認為紀錄、備忘錄這樣的東西，也就是防止遺忘的書寫，即是筆記。在學校或職場中常會提醒「要做筆記」，大家最先接觸的筆記應該是這一種。一般提到筆記時，應該會有許多人聯想到這所謂備忘錄。但本書所要強調的筆記，潛力則是大為不同。

這便是**第二種筆記，也就是「產出智慧用」筆記**。從這裡要開始說明筆記不僅是傳達資訊，正因為使用在智慧產出上，才終於發揮真正的本事。

雖然說是「記錄用」筆記，但實際上在傳遞事實本身的同時，筆記也充分發揮了重要功能。舉例來說，當一個媽媽請小孩去買東西時，因為無法將口頭上說的牛奶、納豆、吐司等多種東西全都記在腦袋裡，所以記錄在紙上，近年則是儲存在智慧型手機中。說得極端一點，這種工作並不是人類應該要負責的作業，機器人也可以完成。記錄這種單純、沒有生命的資訊可以說是電腦最擅長的領域。

不過，我們是人類。為了能夠集中力量在「只有人類才能做的事」身上，希望各位能善用筆記。不只是單純寫下發生的事情或所見所聞，也希望各位能強烈意識到，要以產出新的想法或產生附加價值為目的來做筆記，這樣一來，相信各位所見到的世界會截然不同。

筆記即生活

學生時代，我對日本歷史這個科目產生很大的疑問。這堂課的授課方式，就是老師以自己整理的筆記謄寫在黑板上，然後學生們再機械式地將黑板上的書寫，拚命抄在自己的筆記本中。

當然，將資訊整理過後，再以簡單易懂的方式傳達給他人，也不能說毫無價值。也許有些任性，但那時我已經覺得「這不是人類應該要做的事」。

只有人類才能完成的事，是用自己獨特的創造力、感性和觀點，來創造出獨特的想法，絕對不是將資訊純粹照抄、複製。如果可能的話，這種工作將來要儘量交給機器負責。希望所有閱讀本書的讀者，都能以「產出智慧」為目標來做筆記。身處這不時讓人無言以對的社會裡，「會被人工智慧（ＡＩ）搶走工作」這種說詞煽動起無限焦慮的現在，人們應該最先磨練的技能即在於此。身為人類應把最重要的時間分配在稀有且能產出高附加價值的事物上。

不僅在事業方面，我所想出的創新點子，幾乎都是因為抓住日常生活裡普通到幾乎錯過的小事，先將它用言語具體記錄下來而產出。我將這種製造智慧的過程稱為「筆記」。然後，我認為這種唯有人類才能達成的產出智慧行動，才是工作的真正意義所在。

像本書中所言，「筆記」這種以產出智慧為目的的基本行動，即是一種工作。然後，對為此工作奉獻人生和生命的我而言，筆記已經如同生活。

可透過筆記訓練的五種技能

①產出創意（提高智慧產出力）

養成做筆記的習慣後，會發生許多「好事」。如果沒有實際體驗的話很難理解，所以各位就當上一次當也好，試著拿起筆記本來做筆記吧！關於具體的方法，接下來會仔細說明。在這之前，首先要向各位讀者說明開始做筆記之後會發生什麼事？不管做什麼事，最重要的是在一開始要先設定動機。關於筆記的功效這個最重要的前提，已經在前面提過（＝提高智慧產出力）。在這之外，筆記還有更直接、具體的力量。如果要一一列舉，可能會變成長篇大論。所以在此，想先介紹另外四項與各位有高度關聯的重要因素。

②各種資訊不再過門不入（提升資訊傳達效率）

各種資訊「過門而不入」的大量程度，可怕到遠遠超過想像。在開會、聚餐或演講等場合中，到底能接收到多少資訊呢？

舉例來說，假設在五分鐘之內，對方講了三項自己現在已經知道且理解的重要資訊。實際上我們只會記得其中一項，另外兩項則完全沒有進入大腦。或者是就算進入大腦，也是過門而不入，無法作為雙方言談之間的話題。結果，自己與傳遞資訊的說話者之間產生認知差距，且兩者的代溝越來越深。這種情形不只會發生在商場上，在日常生活中也很常見。相信各位都有過別人對你說「剛剛講的話你有聽到嗎」的經驗，或者是完全相反的、別人要求自己，「能請你再詳細說明一次嗎？」

只要養成仔細做筆記的習慣，就能擴展有用資訊的「接收」範圍。如果時常將接收資訊的能量訊號維持在滿格的狀態，無論何時，就不會漏掉以產出智慧為前提的重要資訊。**沒有做筆記習慣的人，每天都不斷眼睜睜錯過與「寶物」相遇的機會**。平日許多不經意的瞬間，可能就隱藏著寶藏，我們應該擁有得以發現寶藏並將其挖掘出來的強大能量。

究竟要做多少筆記才能達到標準呢？以結論來看，只能說要「非常大量」。如果要具體說明「非常大量」的程度，雖然有些極端，但一開始最好先以「記錄下所有聽到的事」為標準來實行。雖然不用做到將錄音檔整理成逐字稿或是速記的程度，至少也要掌握到所有重點，十分集中專注地做筆記才行。

另外，剛開始時最重要的是採取「全部都筆記下來」的態度，這比「要做多少筆記」、「要怎樣做筆記」這些方法論都來得重要。

現在，假設對方提供了一百項資訊。如果是在毫無意識的情況下，實際能吸收的資訊最多只有三十到四十項吧？但是，如果注意到要確實做筆記，並反覆練習，資訊的傳遞效率就會提高，吸收的資訊量就會從六十項漸增到七十項，再增加至八十項。不管在哪個時代、什麼樣的領域，透過大量的練習可以提升品質這件事，基本上是任何人都無法反駁的真理。

③找出對方內心真正想表達的事（提高傾聽力）

紙本的筆記十分適合作為溝通的工具。

假設現在正在與客戶用餐，請各位試著想像一下這樣的情況。當大家正熱烈討論某項話題時，對方不經意地、迅速從公事包中拿出一本筆記本說道，「這個地方可以請你再做更深入的說明嗎？」然後便拿起筆準備做筆記。這樣一來，大家會有什麼感覺呢？相信比起用筆電或智慧型手機展示既有的資料來得打動人心，而且更能感受到對方的熱情和積極的氣氛。雖然單純理性分析和依照功能面上來說，畫在紙本上以概念圖示說明較容易理解，但我認為這與較感性的原因有關。想要表達自己的熱情，透過紙本是最好的方式。因為想傳達給對方的「情感」，可以直達內心。

我在TOKYO FM的『SHOWROOM主義』廣播節目中擔任主持人。我會一邊主持節目，一邊儘量在劇本或筆記上寫下當場接收到的訊息，或者是接收到這樣的訊息後尚未組織完成的思考片段等等。某位應邀參加節目的來賓，看到一邊說話、一邊寫著筆記的我，曾經說道，「看到主持人這麼認真地訪問，還做筆記，覺得很高興！感覺真好！」之後，還主動敘述「到目前為止，我還沒有公開提起這件事過……」這種較深入、私人的內容。

實際上，即使聆聽話語的認真程度完全相同，但有或沒有做筆記，會帶給對方截然不同的印象。在情感上具有回饋的性質，也就是在感情的接收上會激起漣漪，如果因為做筆記的行為向對方表達了相當的敬意，對方也會對自己有相等程度的回饋。由於可親眼見到「從你的談話之中，想儘量多吸收一些內容」這樣的認真態度表現，雙方的談話也變得更加深入且有內涵。

④理解整體對話的架構（提升組織結構力）

另外一個功能，便是「提升組織結構的能力」。因為做筆記的習慣，讓當場進行的討論擁有完整的架構。反過來說，要確實地做筆記，有組織結構也是必要的條件。如果能做出一份好的筆記，是提升組織力的一大證據。

所謂的組織力，是指在討論某項話題時，能經常以宏觀的角度來看待所有與會者的討論，能儘量在最短的時間內掌握現在在討論的話題、正針對哪一個目標而討論、討論到什麼程度。如果要用各位較熟悉的電腦結構來做比喻，那就是先在大腦內建立一個母資料夾，然後再仔細區分哪一種資訊應該儲存在哪一個子資料夾內。就像資料夾多層次的結構一樣，討論的議題也依抽象的程度分成數個層級。為了能正確記錄，必須對談話內容的所屬階層分類有事先了解才行。這樣的結構也可說是邏輯樹（logic tree）的這種樹狀圖，這次為求方便，先以資料夾稱之。

例如，「天氣」這個主要資料夾裡，有分成晴天、陰天、雨天、下雪等子資料夾。如果現在討論的是「天氣有分哪些種類」，那就可以從並列在母資料夾下的各個子資料夾中尋找相關要素進行討論。

另外，如果要針對「下雪」這個部分深入進行討論，可暫時將其他子資料夾擱置一旁，看是要討論雨中帶雪的現象，還是要討論冰雹，可以繼續對雪的種類深入進行探討。在會議進行時，明明是在討論「下雪」的這個資料夾，但很可能有人會突然提出「雨天」這個資料夾的討論。善於做筆記的人，因為能看見整體的架構，馬上就能發現「這是在討論另一個資料夾的話題」。

在前述內容中以天氣這個簡單的例子來說明這種概念，如果用更貼近現實的商場實態來做假設，可以「營業額」為主要資料夾來做思考。在這個營業額的資料夾裡，還包括了構成營業額的數個子資料夾，像是客戶數量、單價、周轉率等。目前的討論是希望多增加一些客戶以充實客戶數量的這個資料夾呢？還是希望商品單價的這個資料夾內有所成長呢？目前是想要解決哪一個資料夾中的問題呢？如果與會者沒有以整體的角度來掌握這場會議的結構，討論過程會變得極度混亂。

為了要做筆記，一定得思考「要將某事記錄在哪裡才好」。因此藉由做筆記的過程，自然能提升「現在正討論這部分的話題」這種組織力。

建立組織力時應該要注意到，在許多場合中，說話者未必會在充分具有組織架構的情況下發言。作為旁觀聽眾的各位，一旦養成邊做筆記，邊重新建立整體對話架構的習慣，在說話者本人都還未能有架構地表達自己的思考言論時，正在從旁有架構地記筆記的我，須能將整個會議引導至有建設方向的討論。在做筆記時，試著一邊整理全體的對話結構，一邊將某項討論歸納至某個資料夾。當自己逐漸養成這種習慣後，便可以向眾人指出連說話者本人都還未將自己的思考轉變成語言的「資料夾」。這樣一來，一定也可以給予說話者許多提示。這一連串的過程，做筆記這件事就類似陪伴著作者撰寫書籍的「編輯」角色。

如果只是為了「百分之百接收資訊」，那用錄音機錄下談話的內容再寫成逐字稿即可，但是這並非我們的目標。

透過當場建立所有資訊的架構，明確判斷某項資訊應該放入哪個資料夾內，讓說話者得以澄清思緒，進行更深入的談話。這與在第三項功能中提到的「帶出更深層的談話」這一個角度也有密切的關連，在建立對話結構的同時，常常可以一併帶出說話者原本沒有想到的資訊。如此一來，便能建立起更加濃密、更有附加價值的溝通。

⑤能用語言表達抽象的概念與模糊不清的感覺（提高語言表達力）

做筆記的同時，也代表著必須將所有內容「轉為語言表達」。雖然這是十分理所當然的事，為了要做筆記，必須將腦海中模糊不清的思考轉變成語言，記錄在筆記本或智慧型手機上。一旦養成做筆記的習慣，便無法逃避將思考轉化成語言這件事。也就是說，能促使一人獨自完成這種過程的強制語言表達記錄，即是筆記的功能。在磨練語言表達力的同時，也學習到說明的能力。

在日常生活中，相信各位時常用「好棒」、「糟糕」這兩種簡單的形容詞去形容所有事情，或是不經意地錯過許多令人感動的事。但到底是哪個地方很棒？到底是哪個部分很糟糕呢？由此再稍做進一步思考，便是做筆記的基本方式。（※此一過程須進行抽象思考的程序，關於這部分將留待下一章節中說明。）

舉例來說，我在撰寫這本書的稿子時，突然遇上了萬聖節活動中產生的糾紛，最後還演變到有人被逮捕的嚴重事件。在此可以用「真是糟糕」這樣的形容簡單帶過自己對此一新聞事件的感想。

實際上是哪個地方覺得糟糕呢？純粹只是對街頭上出現不理智的群眾而感到恐懼嗎？或是對現今社會上無法遵守社會秩序和規範的群眾覺得十分糟糕呢？還是對原本是平靜的變裝，屬於個人或地方上的家庭娛樂、聚會，現在卻變成公眾開放祭典且產生不良影響的社會狀態而感到不妥呢？還是每年原本在萬聖節的時間點上都常會發生類似事件，在某種程度上也很無奈，這次卻比去年的狀況要來得嚴重，對這種更趨嚴重的變化感到糟糕呢？又或許是引起這樣糾紛的人物多是持有暴力或精神變態的人物等，發現萬聖節已脫離原本的意義而覺得糟糕呢……？對相關事件實在有太多的思考，在此先行打住，像上述內容中提到的，在將思考轉化為語言的過程裡，會逐漸加深個人的思考。因為思考正是能產出語言能量的基本材料。也就是說，整個過程的順序便是「進行思考↓轉為語言表達↓做筆記」。各位在設定「提高語言表達力」這個目標時，筆記便是個可以提供「思考和語言表達的契機」，同時也是最易取得且強而有力的工具。

從養成個人能力的角度上來思考，筆記真的擁有十分強大的力量。

①提高智慧產出力
②提升資訊傳達效率
③提高傾聽力
④提升組織結構力
⑤提高語言表達力

在本書一開始，便提過做筆記的第一個功能就是①能提高產出智慧的能力。將多餘的資訊儲存在有外接式硬碟功能的筆記中，而自己的大腦則用來製造有高附加價值的資訊。

接著，因為所有資訊不再過門而不入，每天所見所聞的全部資訊都可當成分母，從這些基礎資料之中會再有許多資訊變成有用的想法，這就是②提升資訊傳達效率。

然後，為了從對方那裡多挖掘出一點有利資訊的③傾聽力，對提升溝通的技巧也有實際的幫助。

更進一步來說，頭腦中的各種想法可透過筆記來做一個統整。最後也會造成④組織結構力和邏輯思考力的飛躍成長。

最後一點是，筆記能提供深入思考的機會。因此，可以提高⑤語言表達力。

雖然筆記只是個非常簡單的動作，但若是各位的人生產生改變也都是因為筆記。經過前面的介紹，不知各位是否已經了解，做筆記這件事雖然簡單，但其中也包含了許多深奧的學問。**筆記甚至還隱藏著帶領我們前往全然未知世界的可能，也是一種有魔力的行為模式。**

產出創意的筆記術

各位應該都了解筆記的功能了。從這裡開始要具體地向各位介紹筆記的書寫方式。在此要先向各位強調一項重要的價值觀，那就是「筆記是一種態度」。

我絕對不是要透過這本書來教導各位「怎麼做」筆記。當然，如果各位依照本書所說的方法去做筆記，各位的語言表達力和說明力一定會大幅進步。但還有更重要的核心價值，根本就是個人生活態度。每天以什麼樣的目標面對所有的資訊？是否像張開全身毛孔吸收所有事物的海綿一樣？是否對身邊所有的資訊都架設了亟欲探索的雷達？有沒有有意識地想從哪裡產出創新的想法？**這種永不停止的好奇和對創造智慧的貪婪姿態，正是面對魔力筆記最重要的基本態度**，也是我希望閱讀本書的各位在學好筆記術之外，更需要培養的素質。

雖然這樣的開場白有些太過冗長，在此先向各位介紹我實際上使用的筆記術。各位可以從模仿開始試著做做看。

筆記本要跨頁使用

原則上，**筆記本必須採「跨頁使用」的方式**。

關於這一點，大致可以分為三個原因來說明。第一，考慮到可書寫的地方原本就很狹窄，也會連帶使思考無法盡情發展。第二，位於大腦左側的左腦掌管「事實」，位於右側的右腦則掌握「創造」，因此在大腦的使用上也想依照這種形式來分配。也就是說，想依照大腦的結構區分筆記的書寫位置，希望藉此能激發出大腦最大的潛力。第三，照著這種方式書寫筆記後，「先空出右頁的空間」也變成一種目標。看筆記本的時候，若開始注意到右頁的空白，便是好的象徵。因為對人類的大腦來說，看見空白的地方會不自主地產生一股強烈的潛意識，想要將空白填滿，就像某種矯正用的束帶，會因為想持續目前的型態和結構而促使右腦的思考活化。

詳細說明可以參考頁58和頁59的筆記內頁圖示。在筆記本的左頁各畫一條橫線和直線，右頁則儘量畫一條筆直的直線。雖然理想的方式是用尺或墊板畫出筆直線條，但若在這個地方太過執著會令人感到疲憊，所以我自己多是不使用工具，直接畫出一條線。

（※順帶一提，我本身一直覺得這種畫線的工作實在麻煩。在思考怎麼解決這種沒有效率的作業、不知道要如何是好的時候，新興的商業新聞社群平台NewsPicks

的建議，我製作了自己獨創的記事本。大約在春季會上市銷售，有興趣的讀者可以購買。）

筆記本的實際使用方式如下。**首先從筆記本的左頁開始說明**。**要書寫在左頁的內容是「事實」**。也就是說要寫下在某個地方聽到、見到的客觀事實。如果是在會議上，便要記錄會議中的對話內容重點。若是在工作之外的場合，如果有任何觸動自己內心的事物，那個景象也可歸類在「事實」之中，要先把它記錄在筆記本左頁。

另外有個不起眼的小技巧，建議各位書寫了某個**關鍵字**之後，可以**把它圈起來，將與其相關的字眼都寫在周圍**。為了讓作為中心點的關鍵字開枝散葉，把任何想到的詞語都記錄在周圍，**這種做法比起單純條列式的寫法更容易讓創意自由發揮，也更容易整理自己的思緒**。之後再回來翻閱時，也比起文章來得容易記憶，因為大腦會將這樣排列的資訊視為「圖畫」。這是運用心智圖理論的簡單方法，也是我自己長年以來一直使用的書寫方式，請各位務必試試。

再來，如果想要提升組織力、提高語言表達力，可以在筆記本左頁的五分之一處畫一條直線，為之後要填入的「標題」騰出一個位置。先將記錄在「事實」欄位中的詞語進行分組，再試著在標題欄位中用「簡單地說就是某事」的說法提煉出精華，以一個句子統整所有概念，然後再潤飾成一個引人注意的標語。習慣這種方式之前，可以在開完會後再回來翻閱筆記內容進行思考、補上會議進行時想不到的標題，等到逐漸熟練這樣的技巧後，就可以一邊書寫陳述事實的筆記，在同一時間點也會想出要怎樣為這些事實下標題。藉由這樣的訓練，便可以學習到組織結構和語言表達的能力。

接著，讓我們把焦點轉移到筆記本的右頁。如果依照一般筆記本的使用方式，右頁和左頁的功能相同，只是用來記錄更多「事實」的空間。對已經習慣用傳統方式筆記的人而言，要先把右頁空白下來這件事，剛開始一定會覺得有點浪費。即便如此，也要下定決心將筆記本右頁的空間留白。

右頁留白到底有什麼用途呢？右頁留白，是本書中所提倡——產出智慧的筆記最重要的部分，同時也是創造力最能發揮的部分。（※在此要重新強調左腦是記錄事實，右腦是掌管創造，依照大腦的結構規畫筆記的型態，可以更容易產生靈感。只要沒有感覺到這樣的方式「實在不適合自己」，還是建議各位要以跨頁的方式使用筆記本。）從記錄下的事實發展出來、與更進一步的智慧思考、創造有關的事物，可以寫在筆記本右頁。

而右頁，也會分成一半來使用，首先先為各位說明右頁左半邊的這一部分。

在右頁的左半，要記錄下「抽象思考」的要素。在觀察左頁記錄的「事實」之後，將寫在那裡的具體內容「抽象思考」。（※關於抽象思考的說明可以參考下一個章節。）從記錄在左頁中的內容，找出應該進行抽象思考的要素後，再從那裡畫一個箭頭，寫下可以與之相對應的抽象命題。

這裡並不是筆記的終點。接著，為了要讓進行抽象思考時注意到的事物運用在其他事情上並轉化為實際的行動，在右頁的右半必須寫下「轉用」的要素。重點在於，必須詳細寫下「因為受到〇〇道理、主題的影響，而試著將這個事物做些改變」這樣與實際行動相關聯的紀錄。

既然要做筆記，那就要讓這些紀錄達到足以「轉用」的程度，其重要不可言喻。不要只是將注意力留在做筆記本身，也必須就留意到的事物進行抽象思考，但如果停留在抽象思考的這個步驟，有時便只會變成單純的「評論家」而已。從這些筆記之中提煉出自我創意的世界，然後再透過確實付諸行動，才能改變自己的日常生活，進而改變自己的人生。各位如果真的期待自己的人生有所改變，那就不要忘記筆記本最右側的這個部分，要儘量將這個概念牢牢記在自我意識裡。

抽象思考　　轉用

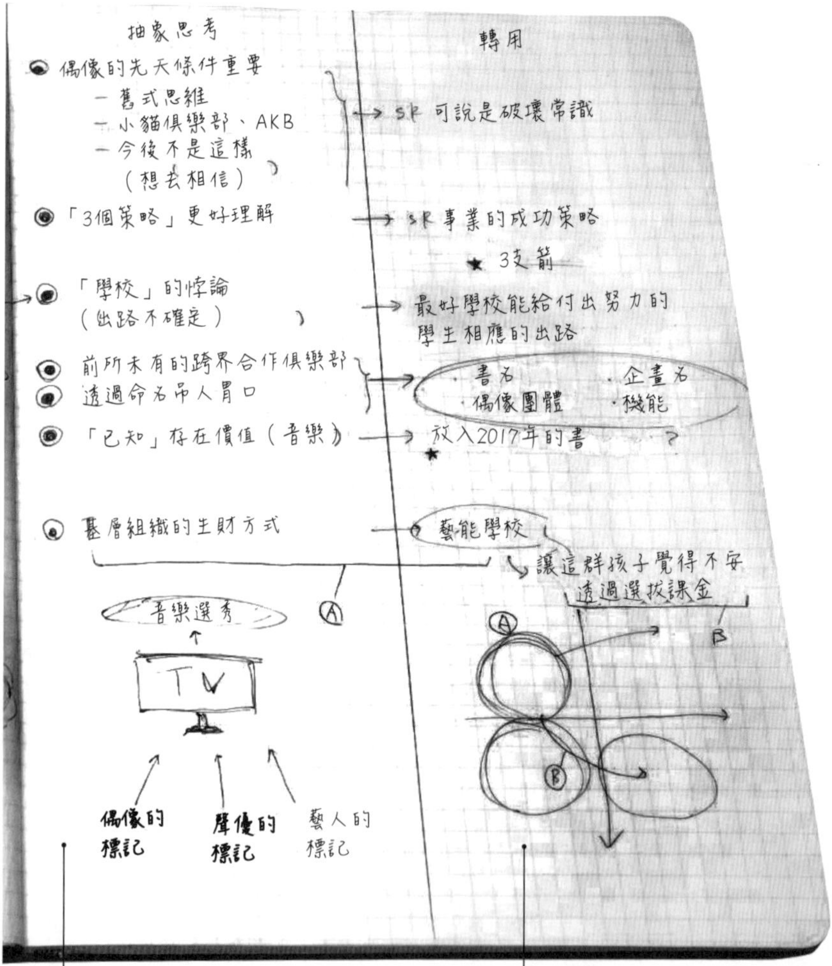
抽象思考
轉用
偶像的先天條件重要
— 舊式思維
— 小貓俱樂部、AKB
— 今後不是這樣
（想去相信）
SP 可說是破壞常識
「3個策略」更好理解
SP 事業的成功策略
3支箭
「學校」的悖論
（出路不確定）
最好學校能給付出努力的學生相應的出路
前所未有的跨界合作俱樂部
透過命名吊人胃口
書名
企畫名
偶像團體
機能
「已知」存在價值（音樂）
放入2017年的書
基層組織的生財方式
藝能學校
讓這群孩子覺得不安
透過選拔課金
音樂選秀
TV
偶像的標記
聲優的標記
藝人的標記

藍色—稍微重要、引用　　紅色—重要、客觀

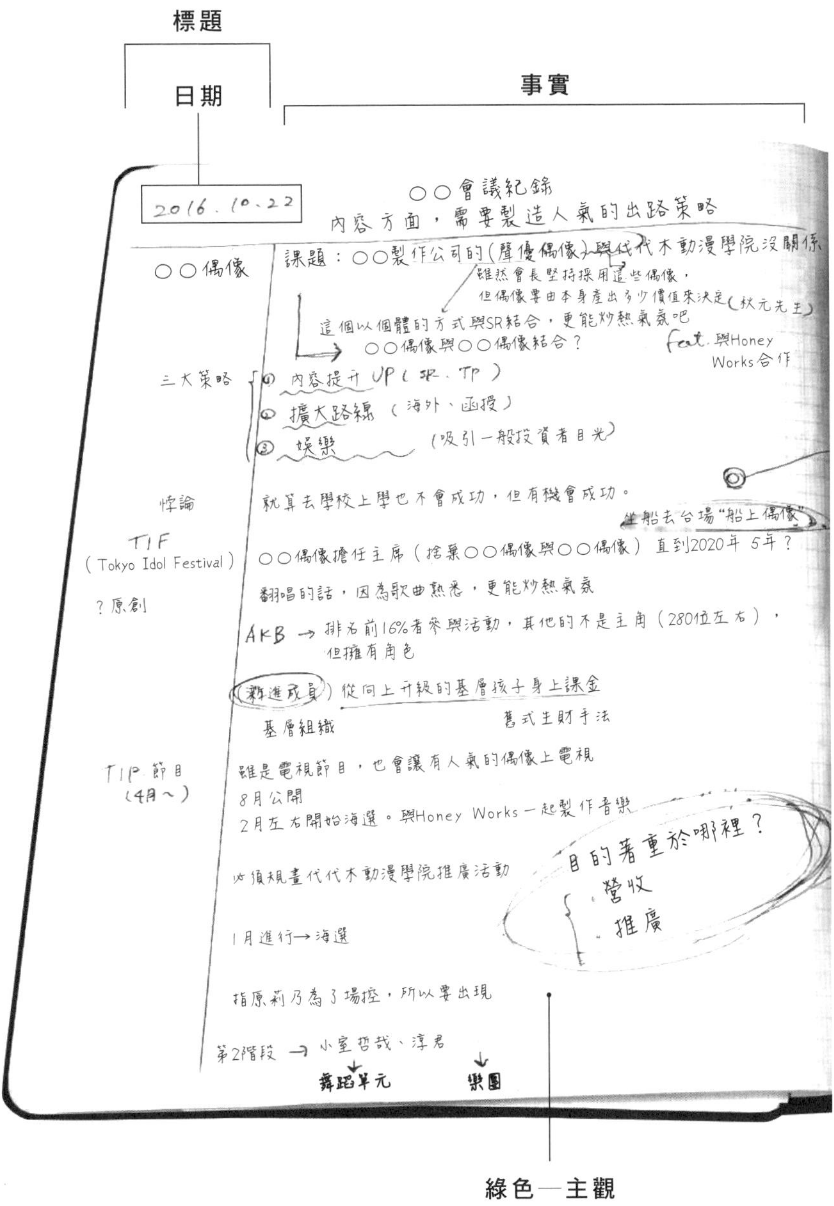
標題
日期
事實
2016.10.22
○○會議紀錄
內容方面，需要製造人氣的出路策略
○○偶像
課題：○○製作公司的（聲優偶像）與代代木動漫學院沒關係
雖然會長堅持採用這些偶像，
但偶像要由本身產出多少價值來決定（秋元先生）
這個以個體的方式與SR結合，更能炒熱氣氛吧
○○偶像與○○偶像結合？
feat.與Honey Works合作
三大策略
① 內容提升UP（SR、TP）
② 擴大路線（海外、函授）
③ 娛樂（吸引一般投資者目光）
悖論
就算去學校上學也不會成功，但有機會成功。
坐船去台場"船上偶像"
TIF
（Tokyo Idol Festival）
○○偶像擔任主席（捨棄○○偶像與○○偶像）直到2020年 5年？
翻唱的話，因為歌曲熟悉，更能炒熱氣氛
？原創
AKB → 排名前16%者參與活動，其他的不是主角（280位左右），
但擁有角色
（新進成員）從向上升級的基層孩子身上課金
基層組織
舊式生財手法
TIP節目
（4月～）
雖是電視節目，也會讓有人氣的偶像上電視
8月公開
2月左右開始海選。與Honey Works一起製作音樂
必須規畫代代木動漫學院推廣活動
目的著重於哪裡？
・營收
・推廣
1月進行→海選
指原莉乃為了場控，所以要出現
第2階段 → 小室哲哉、淳君
舞蹈單元
樂團
綠色—主觀

在這裡介紹的「事實↓抽象思考↓轉用」（ファクト↓抽象化↓転用）這樣一連串的流程，是在可以產出智慧的筆記中最重要的關鍵。

「事實↓抽象思考↓轉用」是最有力的架構

因為這個部分最為關鍵，所以要再強調一次，筆記術的重點，只有以下最簡單的三項。

①以吸收的「事實」為基礎
②就留意到且可以運用的概念「抽象思考」
③「轉用」到自己的行動上

所有的技巧便只是這三點而已。

讓我們再更進一步的說明。

將日常瑣事轉變為創意

從這裡開始要用**「事實↓抽象思考↓轉用」**的架構，以具體的例子說明在當今社會上如何應用、如何與能產生智慧和創意的筆記有所連結？順帶一提，我建議各位在實踐做筆記的過程中，要讓大腦「抽象思考」。這一點是比做筆記、擁有幸福的人生，甚至是其他任何事情都來得重要的關鍵思考方式。關於這部分的詳細說明，會在下一章中另外整理。

接著，我要用一個具體的案例來說明。首先介紹最近我做筆記的對象。

在某次與客戶見面的場合中，聽到「在東京、大阪的各個街道上，發廣告傳單」這樣的一個宣傳案例。一般發傳單時，如果沒有提供路人一點附加價值，就不會有人想要接手這份傳單。所以，必須在這份傳單上加入某項誘因來吸引路人注意。以上都是可以想見的情況。

從這裡開始，大家討論的話題逐漸接近核心。我做筆記的手也自然因速度加快而感到有些疼痛且會出汗。負責這個案子的人又繼續說道，「不是有一種說法說『大阪的婆婆媽媽們，就算沒有什麼特別的事情發生，也常常會送人家糖果』嗎？我從這個地方想到一個策略，就是在大阪發傳單時，都附上一顆糖果。結果因為這樣，傳單非常迅速地發完，非常令人驚訝。」

原來是這樣。這真的非常有趣。在產品上加上一個淺顯易懂的誘因，就可以讓結果有所轉變。這個案子的負責人在看到我深表贊同地點著頭後，又繼續說道，「我們知道這招很有效之後，便在東京用同樣的方法試試看。在東京實行的結果，居然只有大阪三分之一的成效。也就是說，在傳單上多附一顆糖果，可以在大阪發出比東京多三倍的傳單。」

各位有什麼樣的看法呢?在此不要讓這種想法白白溜走，是一項重點。

如果是一般的筆記，通常會在記錄下當場聽到的事實之後便結束。也就是說，可能會先在筆記本上寫下「在大阪發傳單時附上一顆糖果，就可以比在東京多發三倍的傳單」這樣的字句。當然，這樣的做法有備忘的效果，還能在之後作為其它創意思考的題材，這種紀錄本身絕對不壞。但是這種程度的資訊將來恐怕難以運用，並會逐漸遺忘。筆記真正的價值是從這之後才開始發揮。

首先，在筆記本的左頁寫下「在大阪發傳單時附上一顆糖果，就可以比在東京多發三倍的傳單」字句。然後，就是我在本書中想分享給大家的基本筆記術——筆記本的右頁可以帶來更大的價值。

請將注意力從寫下「事實」的左頁，轉移到右頁。接著要思考，「在這裡寫下的具體資訊，還有沒有可以發展的地方?還有沒有其他可以運用的模式?」我將這種思考過程稱為「抽象思考」，是在寫下事實之後須進行的步驟。將自己所見所聞的事實，用普遍的概念進行抽象思考，然後記錄在右頁。在還不是很習慣這個步驟時，可以待寫完事實之後，事後再試著補上思考。漸漸熟練之後，就可以在一邊記錄事實的同時，一邊移到右頁進行抽象思考。能做到這個程度，就表示在做筆記時，大腦已經是在十分活化的狀態下運作。

用「抽象思考」和「轉用」深入思考

接著，將「在大阪發傳單時附上一顆糖果，就可以比在東京多發三倍的傳單」這樣的事實抽象思考後，會得到什麼樣的結果呢？或許說抽象思考會讓人覺得很困難，如果以「取得其他領域也有可能應用的新發現」這個角度來思考，便可以完美且具體地提煉出高抽象度的主題。

舉例來說，首先是發現「對肉眼直接可見的誘因，大阪人比東京人來得沒有抵抗力」這一點。相信各位可以理解，這樣的發現與剛才「在大阪發傳單時附上一顆糖果，就可以比在東京多發三倍的傳單」這樣的事實相比，是一種較可能應用在其他領域的概念。

我們所做的筆記，並不僅如此。在進行抽象思考後，還需要更進一步的思考。將運用抽象思考之後獲得的發現為基礎，建立行動的計畫，也就是進行「轉用」的過程。

舉例來說，會先列出以下的假設——「……原來是這樣，既然如此，那在自己經營的SHOWROOM之中，有沒有反映出大阪人特有的氣質呢？」在筆記本裡，將書寫處移到右頁的右半，寫下「雖然無法斷定SHOWROOM之中也有相同情形，但會試著調查不同地區使用者偏好」。

簡單地說，SHOWROOM是一個可以在網際網路世界中表現自我的線上實況頻道。所有人均可免費註冊為用戶，在網站上自己開設線上實況頻道，或者觀賞其他用戶的線上實況頻道。喜歡該頻道的使用者，可以在虛擬的表演空間裡贈送禮物，炒熱該頻道的氣氛。因為在虛擬禮物的選項中，有一些需要付費的項目，所以我想到只要針對來自不同地區的使用者，調查他們使用金錢的方式有哪些不同，應該就可以取得第一手的資訊。

經過實際分析網站的使用數據，來自大阪的使用者實際消費的金額有比東京地區略低的傾向。當然這樣的數據會依時間的不同而有變化，也無法完全排除其他因素的影響，所以沒有辦法斷定這樣的結果是否能反映出真實的情形。最多只能判斷出有足夠的使用量數據，在這個時間點上分析出這種傾向。

以「來自大阪的使用者實際消費的金額，有比東京地區略低的傾向」這項新資訊為基礎，再做更進一步的思考。可以將這件新的事實，重新記錄在筆記本左頁，或者是也可以直接留在轉用的欄位裡。

在SHOWROOM網站贈送禮物的機制中，因為是在虛擬空間裡模擬贈送各項禮物的模式，所以可能不是一般現實社會中直接可見的具體禮物。所以先前進行抽象思考時，如果在SHOWROOM的經營型態下，也適用於「對肉眼直接可見的誘因，大阪人比東京人來得沒有抵抗力」這樣的規則，大阪人在如此的情況下，不就更不會想花錢了嗎？如此一來，便可以引導出這樣的假設。

之後再以這樣的假設為基礎，深入進行思考。

這個新的假設既不是「大阪人不花錢」，也不是「大阪人很小氣」，實際上，雖然大阪很少出現當紅的明星，但吉本新喜劇和搞笑文化卻比其他地方要來得盛行。也就是說，「對那些看起來有趣、能在表面上看出其價值的事物，不會捨得花錢」這樣的描述，才能明確定義大阪人的另外一面吧！既然如此，不也可以說「大阪人的心中明確區隔出有價值的事物和沒有價值的事物」嗎？還可以說，在大阪要比在東京須留意的地方是，要在肉眼可見的地方，多提供一些附加價值及誘因。

從以上的假設中，最先想到可以轉用的創新想法是**「虛擬劇場公演」**和**「線上直播廣告」**這兩種。

在「虛擬劇場公演」方面，我想到的執行方法是「先準備好能讓大阪人也可以產生認同的有趣內容，然後搭配與現實社會相同的預購票制度，在網路上採取事先支付等同該表演價值的費用」。然後，從這裡又再思考出更具體的行銷策略，那就是「把在現實世界中大受歡迎、且場場爆滿的當紅藝人表演，放入付費會員獨享的選擇性服務裡，在SHOWROOM中播放」，轉用之前的假設在這樣的行動上。因為如果是連票都無法搶到的藝人表演，很明顯就是「有趣」的代表，對只在心目中有價值的事物上花錢的大阪人而言，一定也會掏出他們的荷包購買吧！而且，再加上這裡強調的是「虛擬」的空間，用更先進的技術提供各項服務，在虛擬空間上搭建劇場，因此入場費用也很可能極具競爭力。

如果能在虛擬空間中提供無人數限制、毫無容量上限的演出場地，一定會吸引許多藝人在SHOWROOM中進行直播表演，這樣一來也會吸引大量的粉絲聚集，即可為網站經營的收益面帶來正向的循環。如果能將思考拓展到這樣的程度，便足以形成一個商業經營的模式。

另外，「線上直播廣告」這個想法，也是從「肉眼可見的相對價值」這個抽象主題轉用而來的點子。如果大阪人的個性是不喜歡對肉眼無法見到、沒有直接且具體的附加價值事物花錢的話，就要避免購買虛擬禮物的型態，要產出一個有實際形式、介紹某項商品的直播節目。如果以線上直播的方式，針對大阪地區的使用者推出可以即時向節目主持人購買商品的節目，然後用優惠的價格銷售品質良好的商品，也許在大阪地區的獲利會比在東京來得搶眼。這樣的點子，也是來自創新的思考。

請各位試著回想一下，這些想法一開始只是從「在大阪發出許多附上糖果的傳單」而來。在這之後，卻能衍生出如此大的潛力，還產出兩個嶄新的商業獲利模式。從剛開始到最後，支援著如此思考模式的就是我所推薦的**前田式獨創筆記術**，各位是否能感受到筆記不可思議的魔力呢？

「SHOWROOM」也是因筆記而產生

原本我所經營的「SHOWROOM」線上影音串流網站，也是深受「事實→抽象思考→轉用」此一思考模式的影響而產生的創意。

我在小時候失去了父母，為了養活自己，從小學起就在車站前彈吉他賣藝維生。現在想起來，從那個時候開始，我就會用筆記本記下自己喜歡的樂曲，或是觀察駐足聆聽的客人反應，寫下一些自己發現的事物。

◎事實

- 比起演唱自己創作的歌曲，當自己翻唱其他歌曲時，會停下來聽的人比較多。
- 當自己對駐足聆聽的客人點唱的歌曲有所回應時，雙方的互動會變得很好。
- 這樣與客人建立感情之後再唱自己創作的歌，能獲得更多的賞金。

◎抽象思考

- 雙方能建立良好的感情非常重要。
- 聽眾不會因為你唱得好而掏錢，但會因為雙方的交情而花錢。

★轉用

- 在網路上成立一個可讓雙方交流，並產生情感羈絆的架構。

（※藉由這種方式，表演者可以用自己的力量，比起在實體演出時，更有效率地增加粉絲人數，進而獲利。）

在之前的筆記本上，十分簡單地寫著「對點歌有所回應的話，會增加粉絲的數量」→「不要在意歌唱得好不好」等等，將當時眼睛所見的事實和當場的感想都仔細地、一一記錄下來。

我就是這樣以自己的實際經驗為基礎來打造自己的新事業，也就是SHOWROOM。創立了自己的事業後，能更加確定自己的理念和願景，也多虧了筆記的協助。在此，再介紹另一個例子給各位。

與知名的流行歌曲作詞者暨藝人企畫製作人秋元康先生見面洽談時，我每次都會找到自己特別感興趣的地方，拚命做筆記。在這之中我對秋元康先生分享的下面這一段故事留下深刻的印象。

以前有某位AKB48的超人氣團員腳受了傷，工作人員都覺得「要怎麼辦才好呢？這樣的話就不能舉行演唱會了」，感到十分傷腦筋。當時秋元康先生就提議道，「這樣的話，那就坐著唱歌如何？」在大家都努力熱情的跳著舞時，只有一人坐在椅子上唱歌。因為這樣的設計讓眾人印象深刻，粉絲更為之瘋狂。大家都覺得那個團員真的是「十分有人氣」，並且還蔚為話題。

其他還有SKE48的團員松井珠理奈在十一歲時參加選秀，原本她的順序編號是倒數幾位，但當輪到她時，不知是什麼原因，歌唱比賽用的卡拉ＯＫ卻突然出現問題，無法運作。因此，松井珠理奈的表演順序變成了最後一個。因她本身具有的明星氣質，再加上「只有她發生這種事件」和「最後一個歌唱演出」這些因素，讓包括秋元康在內的所有評審委員都留下深刻印象，終於在最後階段脫穎而出。

在這兩個案例中有什麼樣的共同點呢？這也屬於抽象思考中的一種。簡單來說，要讓某位偶像大賣，「有人氣」是必要條件。更進一步來說，可以得到「能在演藝娛樂圈中成為當紅偶像的人物，都是與生俱來結合了某些強烈的運勢」這樣的結論。擁有這種天賦的人，在經過後天的努力之下，成為知名的超級偶像，是件非常難能可貴的事。

不過，我從這個地方開始又再做更進一步的深入思考。從抽象思考的部分開始，到轉用此項概念，再到真的付諸行動為止，能進行多麼深入的思考是一決勝負的關鍵。我在得到「偶像的運氣一定要很好」這種抽象結論之後，下一個思考點反而是，只有先天「受歡迎」的人才能獲得勝利的世界，真的好嗎？

大家理想中的世界，不應該是「即使沒有與生俱來的強大運勢，只要透過後天的努力，就可以扭轉先天的不良環境」嗎？

我在試著轉用這個抽象思考概念時，直覺地先思考到這一點。

在娛樂圈的偶像市場中，一直有著如此的定律，那就是與生俱來的運氣仍是成功與否的最大關鍵。但我認為會成功的因素應該不只是靠先天的運氣，後天的努力也會有所回報。SHOWROOM的經營理念是想改變人氣偶像到現在為止的模式和構造，和成為明星的這個過程本身，也就是想重新定義「人氣偶像」。試著用這樣的想法打下穩固的基礎後，向所有團隊及社會宣傳這樣的理念，這個部分也是從抽象思考「轉用」而成的行動。

在筆記本上寫下「事實」後就放任不管，不會產生任何火花。一定要對自己記錄下的事實，用自己的觀點擷取出自己認為有趣的部分，然後在重新檢視時，將那時的發現進行抽象思考，之後再「轉用」為行動。雖然說起來很簡單，但透過筆記的形式進行上述的步驟，然後將這樣的想法深植於大腦中，對提高智慧產出力非常有幫助。一旦擁有了這樣的魔力，很不可思議地，也會改變你所看見的世界。

寫下「日期」、「摘要」、「標題」

到目前為止已經向各位讀者介紹了能產出智慧的筆記術重點和關鍵的思考流程。接下來要針對筆記術，做更詳細的重點提示。請各位讀者再次參考頁58到頁59的內容。

首先是一開始，不須大腦思考的部分。**先在筆記本左頁上方標註日期**。因為記錄下這些內容的時間，對之後翻閱、檢視這些資料時非常重要，所以最好要養成標註日期的習慣。

接著，用一句話形容這是針對什麼事情進行的討論或是什麼主題的會議。想不起來的時候，也可以先用「這是有關○○和╳╳的討論」來代替。

在下方要先空出一個「摘要」的欄位。這個空間是留給會議結束後的瞬間，或是回程的途中，腦中的記憶還很鮮明時，能快速記錄的地方。像「為了打造出熱門商品，須擬定一個停損的策略」等，用一句話簡單扼要地說明「總而言之○○是最關鍵的」，擷取出該次討論重點，在之後翻閱筆記時能馬上回想起討論當下的感覺。

其二，**進入到筆記內容的部分**。在這個部分，會**以自己的角度寫下對該次討論或課程中感到有興趣的「事實」**。但這個部分也不須特別思考，當感到有些新奇，或是沒有什麼特別原因，**只要自己的大腦覺得必要的事情都可以先記錄下來，基本上就是將自己聽到的內容如實寫在筆記上**。

其三，**在左頁的左方畫下一條直線，為「事實」欄位中記錄的內容，擬出一個標題或關鍵字**，用一個句子具體說明概括。舉例來說，一邊聽著討論的內容，覺得從某個地方到某個部分的內容，是在討論「關於拓展銷售通路的三大策略」，從某處開始是談論「偶像的新解」，從這個部分之後則是談「原創和抄襲」的主題，像上述這樣為事實欄位中記下的內容一一分類。透過這樣的訓練，毫無疑問可以**增進自己掌握整體討論層次、結構的技巧**。**要為這個部分的討論下什麼樣的標題**？經由認真思考、精準描述每個討論階層內容的關鍵字詞，也可以**訓練自己訂下標題的語言表達力**。

在許多討論的場合中，都是**持續進行著討論**且內容愈挖愈深。因為是一邊理解談話內容一邊做筆記，常常會有無法在雙方討論的當下想出最佳關鍵字的情況。無論如何，要秉持著一邊聆聽雙方的對話，一邊試著掌握整體對話架構的態度，例如「**現在的討論到底是在整體對話結構中的哪一個部分**」，重要的關鍵是試圖將模糊凌亂的討論加以組織整理的態度。等到習慣這種筆記術後，反倒可以試著挑戰「在討論的當下將所有內容理出架構並加上標題」，這樣一來便可以學習到更精準理解現場討論內容的能力。

使用四種顏色的筆做筆記，以提高判斷力

在**筆記時，儘量使用四種顏色的原子筆來書寫。而這四種顏色分別是黑、綠、藍、紅**，各自有其代表的意義。

區分顏色的基本標準是「主觀或客觀」和「重要程度」兩者。

面對**事實現況時自己所產生的想法，也就是主觀的創造思考，可以用綠色的筆來記錄。**若能養成在記錄事實的同時，用**綠色的筆寫下主觀思考的習慣，**便能迅速培養快速組織與提出自我意見的能力。漸漸地，如果在翻閱全部筆記時看到綠色的部分比較少，甚至還會覺得有點不太對勁。達到這種程度時，就可以稱為高手。

然後，除了綠色之外的三種顏色，都屬於在書寫客觀的筆記時使用。

黑色是平常書寫事實時用的顏色。

藍色和紅色則是區分重要程度時使用。藍色是代表「稍微重要的事和引用、參考」，紅色則表示「最重要的部分」。

紅色與藍色兩者的主要區別在於「重要程度」，而不是事情的「緊急程度」。「緊急程度」與自己的判斷思考無關，通常都是外在原因已經自行確定的情況。換句話說，也就是事情的緊急程度不屬於自我決定的性質，須緊急處理的事，就一定得馬上辦理，無須再做討論。

關於重要程度的判斷，從另一方面說來，會因人或團體而有所不同。「這個很重要」、「這個不是那麼重要」等判斷很容易依個人的主觀思考而有所不同。但是如果重要程度的決定關鍵偏向難以掌握的主觀意識，便會失去它原本的意義。**在商業場合中，要判斷對自己而言什麼是重要的事物，擁有「客觀標準」是很重要的**一件事。

我藉由做筆記時使用藍、紅兩種不同的顏色，來訓練自己判斷什麼是真正

重要的事。換句話說，也就是鍛鍊自己判斷事情重要程度的眼光。只要反覆進行這樣的練習，就能提升做決定時的精準程度。

用不同顏色的筆，記錄不同性質的事物，便可以**提升傳遞訊息的能力（綠筆）或判斷決定的能力（藍筆、紅筆）**，實在非常有趣。在這些不同顏色的筆身上，也許也擁有某種魔力存在吧！

運用不同的「記號」為資訊建立標記

當各位達到上一小節中提到的筆記程度，已經可以說極度專精了。我自己在做筆記時，除了會以不同顏色區分事物的性質之外，還會用不同的記號，為筆記的內容建立標記。這只是我個人的使用習慣，各位也可以找出自己喜愛的記號，在做筆記時建立自己的規則加以利用。

（※在電腦或智慧型手機中，可以為常用的記號建立一個簡稱。在數位型記事本中，只要鍵入此一簡稱的開頭文字，即會顯示出相對應的記號。各位可以在自己常用的記事本裡，將自己習慣使用的記號設定好簡稱，之後只要鍵入開頭的文字，便可以快速代入。）

順帶一提，事先是否進行這樣的設定準備，對日後使用時的效率影響非常大。可能有些人會認為這只是一件小事，但平常累積的沒有效率的事情，往往在後來會浪費相當多的時間。舉例來說，只要徹底實行這個方法，每次就可以縮短一秒鐘的時間，累積起來一天就可節省五分鐘。（當然筆記的量越多，能節省的時間也就越多。）假設一天可以節省三分鐘，一個月就可以多出九十分鐘的時間，影響不可小覷！做筆記要執著到這種地步，似乎有點瘋狂，雖然與本書的主要訴求有些不同，但也不必太過在意。如果在閱讀了本書之後，下定決心要做好筆記的讀者，一定要認真面對輸入資料時的效率問題。

首先是針對「事實」的部分。具體的事物，或是因為打動自己內心而筆記下來的內容，可以在前方標上（◎）。

而抽象思考的事物或自己的發現，則以中間塗黑的圓圈「◉」來表示。標上（◎）的事實經過抽象思考之後便成為（◉），可將原本空白的內圈塗黑加以識別。這兩種記號的區別及用意，就是標上（◎）時，是在筆記的內容還是具體事實，還處於模糊不清、沒有概念的狀態，但是到了轉變為有意義的自我發現時，就可以將圓圈內部塗黑。

接著產生的「轉用」，也就是對之後必須採取的行動則標上（★）。標上（★）時，就是希望激起自己「不得不有所作為」的意識。也就是希望（★）能直接向自己表現出急迫感，藉此控制自己的大腦。

舉例來說，萬聖節時走在街頭上，注意到「參加今年萬聖節慶祝活動的人

不同記號的使用方式

內容	記號	簡稱
抽象、發現、學習、主旨	◉	Ma
具體、感到有興趣、感動	◎	Maru
工作任務	★	Ho
個人生活中的必要工作	☆	Hoshi
條列式大標題	▼	Sa
條列式中標題	■	Shi
條列式小標題	┏	E
原因分析(數字)	①	—
原因分析(字母)	Ⓐ	—

數比往年來得多」這樣的事實情況，要馬上做筆記時，會在前面加上〈◎〉，也就是「◎參加今年萬聖節慶祝活動的人數比往年多」，然後再進行抽象思考。舉例來說，像「也許人類的本性就是想成為表演者」這樣的結論，在這句話之前，標記〈◉〉，也就是「◉也許人類的本性就是想成為表演者」。

為筆記標上記號之後，

■進行抽象思考作業後的結論

在哪裡？（◉）

■要採取行動的事有哪些？（★）

就可以在翻閱筆記時，清晰且快速看出這些「筆記之中最重要的因素」。

在數位化的記事本裡，更應該徹底執行這樣的規律。因為透過這種方式，「目前為止自己已進行過抽象思考的事物（◉）」、「因為做筆記而產生的行動方案（★）」便可以使用搜尋的功能馬上顯示出來。以「◉」的記號來搜尋，就可以條列出自己從這個社會上吸收、學習的事物和新的發現等包含各個領域的心得，這些事物在未來又會成為思考出其他創新想法的種子。

「標題」是傳遞訊息的能量來源

在前面章節中，已先向各位提過，要在打開筆記本後的最左側頁面上寫下

「關鍵字」。

所謂的**關鍵字就是「以一句話來說明這到底是什麼」**，向外界表達內在意涵的標語。

在開會時記錄下事實現況，之後進行抽象思考，再將這個概念轉用到其他事情上，然後依照各種需求寫下關鍵字。這樣一連串的過程十分消耗腦力，雖然難度甚高，但習慣之後，便可以同時進行以上步驟。

達到這種程度之後，即使是內容複雜的討論，也能一邊將其條理清楚、一邊進行理解，而且也可以產生出許多獨創的思考。將自己吸收的資訊輸出到某處的同時，如果能準確地將自己的概念轉換為標題，就能飛躍提升資訊傳遞的效率。**下標題的能力也是傳遞訊息的能量來源**。

幾乎所有的對話，全程都是十分具體的內容。因為具體的內容原本便較容易理解，不須用腦袋思考就可以解決，比較輕鬆。但也正因如此，從這些具體的事物中提煉出抽象的本質，再用「換句話說，就是這件事」的方式，挖掘出當中抽象事物的做法能產生較高的價值。如果再更進一步說，無論是多麼具體的事物，大都可以透過抽象思考的過程，賦予其意義，這一點也是許多人沒有發現的地方。

與擅長口語表達的人對話，可以發現有幾項共同點。其中一項就是對方可以將對話的內容自行標上「標題」。像「原來是這樣。那也可以說是〇〇吧」、「這是關於〇〇的討論吧」這樣，十分善於歸納對話的內容。說話者也能確實知道對方正在認真聆聽，下意識便會回答「對啊！對啊！」即時與對方所說的內容有所回應。有句話說，擅長說話的人也是善於聆聽的人，我覺得真的是如此。

善於管理的人，或是能**掌握聚餐、宴會等場合主導權的人**，毫無例外的，**每一位都擁有「下標題」的能力。這樣的人說話會較有條理結構，也可以說是較可能產出創新思考的人。能為事物想出貼切適當的標題後，當然也能夠同時提升傳遞訊息的能力**。

「清晨五點半的女人」是最佳標題範例

在進行對話的同時，當場將內容結構化並加上適當標題，在剛開始時或許很困難。不過，想要引起眾人的注意，「下標能力」是個十分重要的關鍵。

舉例來說，如果我現在用以下的方式講話，「在AKB裡面有一個叫大西桃香的女孩子。那個女孩子到兩年前為止，根本沒啥名氣，她的人氣排名在很後面，大概是要從三百個人之後開始算還嫌太早的程度。」如果不是對AKB很有興趣的人，一定會覺得，「這個話題到底要什麼時候才會結束啊？」

如果用另外一種方式來說，像「你有聽過『清晨五點半的女人』嗎？最近在AKB裡面非常有人氣」，這樣一來即使不是AKB的粉絲，應該也會多少吸引一點注意力地問，「欸？什麼是清晨五點半的女人啊？」

然後便可以接著說道，「其實，有一個叫大西桃香的女生，每天早上五點半起床，用惺忪的睡眼開始主持直播節目。」這樣一來對方也會深感興趣地開始注意聆聽。

這裡想要強調的是「清晨五點半的女人」這樣的「標題」達到一個重要的功能。只要有這樣的標題，就可以快速且簡單地將訊息傳遞給他人，也能在對方腦海中留下深刻的印象。

只要習慣下標語、標題、關鍵字的方法，就可以一邊記錄事實，一邊下標題。在還未熟悉之前，應該要刻意規畫一個時間，在事後翻閱筆記，檢視所記錄的內容以構思標題。下標能力值得我們騰出這段時間。

筆記的本質在於「可反覆查閱」。反覆檢視筆記時，實際上從那裏可以擷取得到的學習要素多到令人難以置信。**從「事實現況」進行「抽象思考」，並想想自己要怎麼「轉用」這項概念來付諸「行動」。經由以上步驟進行層層思考所得到的結果，才開始顯現出筆記真正的魔力。**

第二章

運用筆記深入思考

「抽象思考」能力是人類與生俱來的最大優勢

筆記不僅是單純地記錄資訊，而是為了要賦予接收到的資訊某種意義，並從那當中孕育出智慧。在前面章節裡，已向各位介紹過，將已察覺的資訊轉為獨創智慧想法，擔任橋樑角色的「抽象思考」做法。

「抽象思考法」是前田式筆記的核心。再更進一步來說，是人類與生俱來最重要的思考功能，我可以充滿自信且明確地保證，也是人類擁有的最大優勢。

「抽象思考」這個詞彙也許聽起來有點困難，其實各位在小時候，應該都曾不經意地做過這件事。在這裡舉幾個例子來說明。從天空上落下的水珠，每一滴大小都不盡相同，也許它們的組成成分也有些微的差異，但也不可能將每一滴水珠都取上名字，所以使用概括的方式，去掉具象將它們一併稱為「雨」，這就是進行「抽象思考」的一種。

正值青春期的男學生如果和父母說到與喜歡的女生出去玩這件事，也許不會直接說「我和某某某女生一起出去」，而是會說「我和朋友一起出去玩」。這也是一種更概括、以能通用在其他具體事物上的詞彙換句話說，是很成功的抽象思考範例。

在上述的情況下，使用「雨」或「朋友」這樣因進行抽象思考而產生的詞語，如果我們沒有任何抽象思考的能力，思考和對話本身幾乎也可以說是無法成立。不只是語言有這種功能，將某兩種狀態用數字「二」進行抽象思考，便可以將不同事物用「數字」的概念轉化並統整起來，在一個基礎上進行討論。「因為A昨天吃了兩顆蘋果，B只吃了一顆蘋果，所以今天A就吃一顆蘋果、B就吃兩顆蘋果」像這個句子中所提到的，即使眼前沒有多個蘋果，但大腦中還是能理解這句話中所說的內容，也是抽象思考的功勞。像前面所說的，如果將數字也歸納為抽象思考的產物，沒有抽象思考的話，就無法形成現在的文明。

另外，關於具體化的思考過程，各位在每天的生活中也應該會經歷數次。像是曾用「舉例來說」這個詞彙來做開場白的人，那個時候應該也是用某個具體的小故事或例子來進行說明。或者是，當有聽過某件事但不是很了解它的內容時，會想到在Google上鍵入「〇〇是什麼？」進行搜尋。這樣的過程，便是經由取得尚未理解的某種抽象事物具體資訊，以進行更深入理解的具體做法。更進一步說，運用數學公式來解出不同的題目也是將事物轉化為具體的行為，利用英文課中學到的文法來說英語，這也算是具體行為的一種。

不論是稱為抽象思考，還是轉為具體語言，因為這些不同的名稱本身也十分抽象，相信有些人一時間也無法理解其中的涵義，但實際上透過這樣的過程將此種概念實行後，各位便可以理解所有人類每天在大腦中進行了無數次的思考行為。人類的大腦每天都在無意識中，反覆進行轉化為具體語言及抽象思考的作業。

因此，各位不要對「抽象思考」這個外表看似困難的名稱感到恐懼。人類透過這種「抽象思考」的過程，過著更有效率的生活、製造更多的發明等，使文明產生進化。「抽象思考」其實是「發明之母」。

為了讓閱讀本書的各位讀者不只是「單純的勞動者」，還能成為一個「發明者」，希望大家可以把重點擺在「抽象思考」上，更勝於「轉為具體語言」。也就是說，不只是具體運用某人進行抽象思考之後所得到的規律（單純的勞動者思考過程），而是要從具體的事實中自行找出規律，或者是從其他具體事物中尋找出可適用此規則的部分，以自己獨特的觀點挖掘新的事物或進行發明等等智慧的創造（發明者的思考過程）。為了達到上述目標，我們必須再深度學習關於「抽象思考」的內容。

抽象思考的三種型態「What」、「Why」、「How」

我如何進行「抽象思考」的作業呢？在此為各位整理出我大腦中思考的過程。

首先，最重要的是進行抽象思考時的「提問」。要詢問自己「What」，還是要問「How」，或者是要問「Why」，雖然這些是很簡單的方法，但在要掌握抽象思考的祕訣時，非常重要。

舉例來說，將眼前發生的現象或想法進行抽象思考，再配上其他名字重新命名。這類型可稱為「What型」，也就是屬「是什麼」一類。

另外，對眼前發生的現象進行深度的思考，像是思考有哪種特徵？這就屬於「How型」，也就是屬於「如何做」的類別。

然後，找出超人氣電影受市場歡迎的原因，再運用到別的企畫上。這時，

抽象思考時應思考的三種類型

		事例	事實	抽象思考	轉用
What型	以物質為主軸	從天空落下的水珠		雨	
	以特色為主軸	左和右 男和女 贊成和反對		相對性	
How型	以特色為主軸	寶可夢	在寶可夢這個遊戲裡，每一種怪獸都有自己的屬性，依照不同屬性發動攻勢，會較有收穫	依照對象的不同，改變進攻方式	在求職測驗的面試部分，應該也要依照面試官的個人特質，改變說話的內容
Why型	以超人氣為主軸	《一屍到底》	沒有名氣的明星、低預算	兩者間的落差、共鳴	運用在優惠活動上
	以實際需求為主軸	儲存影片功能	使用者的需求	所屬社群的需要，意見交流、粉絲支持偶像的需要	統整網站

我會問自己的內心「Why」，也就是「為什麼」。

以抽象思考過程來說，有較高價值的是後面兩個，也就是「How型」和「Why型」。因為這兩種比較有可能轉用到其他具體事物，而且轉用時所產生的影響也較大。

為了想深度學習抽象思考的讀者，在此針

對三種類型再稍做更進一步的探討。其實，對單純想學抽象思考作業以增進獨創思考能力的人，因為不須將如此詳細的結構記憶在腦中，所以跳過這個部分不看也無所謂。單純就做筆記來說，將事實現象轉化為語言的「What型」、擷取事物特質的「How型」、將事實抽象思考以了解事物本質的「Why型」，這三種在使用上各有各的方便，但在創造智慧價值上，則以「How型」和「Why型」，尤其是後者的「Why型」能產生更大的價值。請各位要先記住這一點。

①What型

■以物質為主軸

例如：【從天而降的水珠】　「雨」

【會發光並帶有熱度，像稻穗般】　「火焰」

■以事物的關係為主軸

例如：【左和右、男和女、贊成和反對】　「相對」

【數學方程式（例如：一次函數）】「y=ax+b」

（※因為關於What型的內容，較少屬於個人思考的抽象思考過程，在此省略具體→抽象思考→轉用的例子。）

② How型

■以特色為主軸（什麼樣子？）

例如：寶可夢

- 特色（事實）：在寶可夢這個遊戲裡，每一種怪獸都有自己的屬性，依照不同屬性發動攻勢，會較有效率。
- 抽象思考：依照對象的不同改變進攻方式。
- 轉用：在求職測驗的面試部分，應該也要依照面試官的個人特質，改變說話的內容。

③ Why型

■以超人氣為主軸（商品大賣的原因是什麼？）

提問的例子：

- 某商品最近的銷售額突然衝得很高，原因是什麼？
- 某個APP的使用者人數最近突然大增，其中的背景原因是什麼？
- 某部電影最近大受歡迎，票房大賣，是什麼原因？

（※即使沒有超強的人氣，對觸動自己內心的這個部分，試著深入思考原因也是一項很好的訓練。舉例來說，在街頭上行走時，突然被某個廣告吸引時，要思考自己覺得那則廣告有趣的原因在哪裡？）

- 實際案例：日本獨立電影《一屍到底》（カメラを止めるな！）狂賣
- 事實：參加演出的演員都沒什麼名氣，而且這部電影的預算只有三百萬日圓。首映時有放映該電影的電影院，原本只有東京的兩家（二〇一八年六月二十三日），在一個多月後突然變成全日本有一百五十家電影院上映此部電影。其後上映該電影的電影院數量也繼續增加，票房收入也與其他大卡司電影並駕齊驅。

・抽象思考：

①要大受歡迎必須要讓人感覺到落差。（明明是A卻有B的效果。就此部電影而言，沒花什麼電影製作費，但卻非常好看。）

②大受歡迎的重點在於能產生共鳴。（就像「沒花太多電影製作費，卻能有好作品」的主要訴求，能展現社會大眾目前心聲的作品便會大受歡迎。）

・轉用：在SHOWROOM的優惠活動裡，也加入期待落差和令人產生共鳴的因素。

■以實際需求為主軸（真正想要表達的是什麼？）

實際案例：SHOWROOM的儲存影片功能

- 事實：使用者想要有存檔的功能。（可以錄下影片的功能。）
- 抽象思考：想之後再重看一次，並不只是單純想重看影片，實際上應該是不想錯過所有的影片內容，可能是想跟得上最新流行趨勢的話題這種屬於某特定社群的需求，或是想要與藝人交流、支持自己崇拜的偶像。
- 轉用：並不是毫無配套措施就加進錄製直播影片的功能，讓使用者有不看現場直播的理由，這樣等於降低現場直播節目的優勢。舉例來說，可以於節目直播後在統整網站等地方發布訊息，徹底進行宣傳曝光，確保粉絲能獲得最新的人氣話題資訊，滿足一定程度的真實需求。

當某種概念以What型的方式進行抽象思考後，當然也可以轉用在其他具體事物上，但從這裡得到的成效，只有得知「這個具體現象稱為什麼」這個問題的答案，也就是針對「What」這個疑問的回答而已。

但是，How型卻非常有效。一旦熟練此種方式，便可以從乍見之下毫無關係的遙遠事物中擷取出具體現象的要素，再套用在其他具體事物上。熟悉這樣的技巧之後，便會發現世界上隨處可見創新想法的種子。

然後是Why型，其實我個人認為這個比How型還要重要許多。在轉用到其他具體事物時的影響力最大，是製造創新智慧活動中最不可缺少的關鍵思考過程。當然，在轉用某種概念時必定伴隨著不確定。雖然在一個案例中成功地運作，在遇到其他的案例想要套用這項抽象規律時，卻不見得一定能順利進行。雖說如此，但總是比起零基礎的思考，挑戰成功的機率要來得提高許多。從事商業活動的人士，至少要針對以下四個項目用「Why」提出疑問進行思考。

①社會上受人歡迎的事物

②觸動自己內心的事物

③客戶的期待與要求

④公司內部發生的問題和待解決的事情

總而言之，便是將自己看到的事物、發生在自己周遭的事或社會上的各種現象，都盡可能先大量蒐集，再深入思考、事先進行抽象思考。如果對某項特別的事物感到有興趣，就應該記錄下該種事物的特質（How型），如果有某種廣受大眾喜愛的東西，就應該深入探討「為什麼這個會流行」，並且擷取出其中最重要的基礎核心（Why型）。

只要能養成上述的習慣，透過無數次的反覆演練，在講述某種抽象主張或議題時，就能逐漸累積起有效說服聽眾的具體事例資料庫。

舉例來說，我常以日式酒吧來比喻SHOWROOM這樣的線上直播影音網站，將日式酒吧的特徵**以How型的方式抽象思考，再轉用到解說SHOWROOM的網站上**。例如，日式酒吧的特徵有「客人有時候要扮演酒吧經營者的角色」這一點。常常碰到日式酒吧裡的媽媽桑跟其他客人聊到忘我，或是已經喝醉、或者不知什麼時候去了哪裡也沒有告知，自己就必須與其他客人接觸、互動。但是也因為這種「應填補的空缺」提高了客戶的忠誠度，結果有許多的日式酒吧就是以這樣的經營模式和氛圍，成功吸引了固定客群，並且建立起客人之間緊密的交流。這種現象正好與在SHOWROOM發生的狀況相同。在SHOWROOM裡大受歡迎的藝人，一定不是一個完美無缺的表演者，有許多表演者是歌藝尚待加強、樂器的彈奏技巧方面也還須多加磨練。這樣的空白部分，聽眾會忍不住想要協助填補起來，在不知不覺間便會發現表演者與觀眾的角色界線越來越模糊，形成了一個凝聚力極高的粉絲團體。

像前面提到的，我常常在簡報時，舉出運用日式酒吧進行抽象思考得到的想法，轉用到SHOWROOM這個具體網站營運上的案例。抽象思考不僅能提供製造出靈感的種子，像我這樣在公開場合演講、談話時，也可以提高說服力並且帶來驚人的效果。

最有價值的是從「哪一種」、「為什麼」進行抽象思考

前面談了一些較複雜、深入的內容，在本小節中要再回到本質的理論上來思考。現在開始具體說明**學習抽象思考時，要經過什麼樣的程序。**

第一，請先熟悉以下三項步驟。

①正確接收具體資訊。

②從步驟①中擷取「可以轉用到其他事物」的要素。像是創新的思考發現、背景因素、規律、特徵等等，**此步驟等於狹義的「抽象思考」。**

③再運用步驟②中取得的要素轉用到其他具體的事物上。

再用更精簡的文字換句話說，便是——

①具體事實

②抽象思考

③ 轉用

經過這樣的思考程序。

具體來說，就是各位從這個真實社會中所見所聞的各種資訊裡，開始思考——

「從這件事中有沒有可以套用到其他事物的因素？」

「為什麼會這樣呢？它的背景原因是什麼？」

「所有這個種類的東西，都可以找出〇〇這個共同點的樣子。」

「這種事物的特點就是這個吧！」

透過思考上述幾項關鍵問題，可以帶出更高度的抽象概念。也就是說能找出更多可以套用在其他具體事物上的概念模式。

因為這個部分很重要，所以要重複提醒。在進行抽象思考時，「將該思考轉用到其他具體事物上，可以取得比思考該本質更好的成效」這件事是一大前提。因此，學習如何養成「整合多種類似事物，將之稱為○○」的What型語言力當然很重要，但也要試著去注意到，很可能轉用到其他事物的How型和Why型抽象思考方式，因為這兩種類型在轉用後會產生更高的相對價值。再者，面對所有具體事物，養成提出「有哪一種特色」、「為什麼會這樣」疑問的習慣也十分重要。將這樣的過程中產生的新發現，轉用到其他事物上以進行高產能的抽象思考，才是筆記能製造出智慧與創新思考的基礎本質。

一分鐘了解《你的名字》這部電影的有趣內容

吸收眾多資訊是產生智慧思考、創新的主要基礎。閱讀到這個部分為止，也許有些讀者會認為抽象思考是為了要輸出資訊的存在。但這是不正確的。因為抽象思考在輸入資訊時也是非常有力的工具。

舉例來說，我自己閱讀書籍的速度比一般人來得快速，這是因為我「真正閱讀的不是具體的書本，而是它抽象的內涵」。我是用「以抽象角度而言，這本書想表達什麼概念」的觀點來閱讀一本書，而不是著重在書中個別具體的故事敘述上。以樹木來比喻的話，會快速跳過枝葉和葉片上的紋路，只閱讀枝幹的部分，所以速度會很快。

如果有人要求我「讓我三分鐘內瞭解這本書」，那我可以在三分鐘內敘述完畢。如果需要「在三十分鐘內瞭解這本書」的話，我可以完整運用這三十分鐘來說明抽象思考的部分。如果是一個小時，也只要適量添加點內容這些枝葉的部分即可。以電影來說也是如此。要是有人對我說「《你的名字》是一部什麼內容的電影呢？請用三小時詳細敘述」，我會以這種方式——「電影裡有一個叫做三葉的可愛女主角，她和奶奶、妹妹一起住在糸守町這個鄉下小鎮裡……」，舉出電影裡的主角名稱，還有一些電影中的精采片段來敘述，這其實不須花太多腦力來思考，會派上用場的應該也只有記憶力而已。反過來說，如果有人要求「在一分鐘內提出《你的名字》的精彩內容」，我會立刻停頓下來。為什麼呢？因為一定要確實將電影精彩部分進行抽象思考，並轉換成用一句話來表達某件事物，需要相當程度的抽象思考能力。

當我看到能用一個越簡潔的句子精準傳達所有內容的評論或意見內容，其內部必定隱藏了令人難以想像的龐大抽象思考，創作者背後所做的努力非親身體驗過的人無法明白，因而產生敬畏之心。相反的，如果是聽到純粹描述具體現象、毫無頭緒且漫長無止境的敘述，我會覺得「這應該沒有經過太多思考吧」感到而有些遺憾。當然也會有經過一番深思熟慮後，用一句話難以統整敘述者的熱情，而不得不增加一些篇幅的情況，這是我最喜歡的情形。不過，內部到底進行了多少抽象思考，只要看看對話中抽象和具體作業來回進行的情況，大致即可判斷。

在還不熟悉抽象思考過程時，這是一項很花時間的作業。但在持續努力進行抽象思考的練習後，便可以大幅縮短所需的時間。

如果想要深入研究抽象方面的知識，閱讀細谷功先生所著的《具體和抽象》這本有名的著作會十分有幫助。

在這本名作中提到曾經留下「人是一根會思考的蘆葦」這句名言的十七世紀著名法國哲學家布萊茲．帕斯卡（Blaise Pascal）。帕斯卡曾經在給朋友一封信的結尾上寫著「今天沒有時間，所以信的內容變得很長」。也就是說因為沒有時間充分抽象思考，所以信的內容無法簡單扼要，偏離了主要內容的本質，篇幅因此顯得冗長。

所有事物一旦花時間仔細思考，都可以用簡單的語言來詮釋，也就是說都能以抽象概念涵蓋包括。聽過山崎將義（Yamazaki Masayoshi／やまざき　まさよし）《芹菜》這首歌的朋友，可以試著回想一下這首歌的歌詞。

即使說了那麼多話
簡單地說，就是
喜歡妳

對自己喜歡的對象，不管是好事，還是壞事，總是會思考各種方面的事情。如此一來，就有很多需要思考的具體事物。尤其是在戀愛的時候，正因有愛，還有互相在意彼此，便會看到對方許多具體的缺點。（像是自己喜歡的夏天，對方卻不喜歡，或相反的，自己討厭吃芹菜但對方卻很喜歡……笑）如果將這些具體的因素全部進行抽象思考之後，以簡單的一句話歸納，就可以得到「喜歡妳」這個結論（笑）。雖然把缺點，也就是負面的具體因素進行分類，再執行抽象思考後卻轉換成「喜歡」的這種正面結論，在邏輯思考上來說非常矛盾，但在戀愛的氛圍下卻可以成立。雖然這個例子看起來像是在開玩笑，但是這種「將具體事物簡單歸納成一句話」的思考過程，正是抽象思考最好的範例。

化學定律或數學方程式都十分單純。那些具有天賦的化學家或數學家，花了畢生的時間、想破頭腦才思考歸納出定律與結論。

要提高抽象層級，必須做出相對應的思考。思考「必須用什麼樣的簡單敘述來歸納傳達這些具體事物」這個問題，很花時間。但這個部分也是人類思考能力中最優秀的一項。除了人類之外，沒有其他生物能進行抽象思考。因此，也一定無法掌握語言。

正在閱讀本書的各位讀者，即使覺得很麻煩，在看書或看電視時，或是像看電影或戲劇表演等等，在接觸到各種資訊或事物的時候，請試著培養做筆記，還有抽象思考的習慣。有句話說「聞一知十」，雖然可能無法增加到十倍之多，但能得到的資訊份量會急速增加也是不爭的事實。

透過抽象思考後取得的資訊並歸納出一定的規律，是之後可以不斷運用在其他具體事物上「具有價值的濃縮精華」。就像將濃縮的可爾必思加上蘇打水後，會變成另一種飲料一樣，只要擁有最原始的基底，再搭配上其他某種物質加以稀釋，也許就會產生全新的東西。我認為，生活在這個憑自己的意志作為便可以挖掘出許多智慧寶藏的時代裡，錯過許多得到智慧寶藏的機會空手而回，實在是一件很大的損失。

抽象思考即是「思考本質」

雖然在前面敘述Why型的部分已經提過，簡單地說，抽象思考的程序即是「思考具體事物的基本性質」。

如果能理解成功案例的核心，便能將這種基本模式應用在所有其他事物中。

舉例來說，「由幻冬社的箕輪先生負責編輯的書全都大賣」這樣的一項「具體」敘述，屬於一種「事實」。應該有許多人都是在知道這個事實後，思考便停止在這個部分。有些人會覺得「哇！真厲害」、有些人則覺得「有點不喜歡」，每個人都有一些自己的感覺。這些只是單純的感想，不是抽象思考。

（※將自己的感想抽象思考，找出自己為什麼會有這種想法，還有深入探討其中的原因，這些都與「用於分析自我的抽象思考」有所關聯，會在後面的章節深入說明……詳細內容請參考第三章。）

那麼，「由幻冬社的箕輪先生負責編輯的書全都大賣」這樣的事實本質背後，還隱藏了些什麼事物呢？讓我們試著用Why的方式來提出疑問。就像箕輪先生常常開玩笑說「即使書的內頁都是一片空白也可以賣出上萬本」一樣，在許多重要原因之中，對結果影響最深遠的是「擁有凝聚力強的社群團體」或「有忠實粉絲」這兩點。到這個程度，我們可以漸漸推敲出「要讓一本書在市場上很有存在感，廣受眾人好評，社群管理十分重要」這樣的定律。如果把在書本上的這個案例轉移到音樂市場上來看，同樣可以將相同的定律運用在音樂市場中。這是抽象思考最強大的力量，也就是說可以靈活應用在其他具體事物中。一旦將深入思考與抽象思考畫上等號，便可以重現相同的價值與廣泛應用的特性。

然後，理所當然的是，當能應用的範圍越廣，就越能提升轉用到其他事物上的可能，抽象思考的能力當然也隨之大增。如果把可以運用到其他十件事物上的抽象命題，與可以應用到一百件事物的抽象命題相比，當然是後者的抽象思考力量全勝。先前提到的「要有社群團體」這個抽象思考的結論，不僅可以用在音樂市場上，還是可以應用在運動方面或傳統工藝等等多到數不清的廣泛領域中的成功定律。如果能成為可以從日常生活瑣事中，挖掘出許多可廣泛運用在各領域題材之想法的人，其成長速度一定會突飛猛進。

在進行抽象思考時，請一定要注意到「廣泛適用」。最好要設定一個目標，就是為了要將此一概念廣泛應用在其他領域，而進行抽象思考。不僅只提升抽象思考的層級而已，而是要一邊思考「是否可以應用在其他地方」，一邊進行抽象思考，如此一來才能進行更深入的思考。

要如何運用這些新的發現呢？也就是說，要以能確實應用、讓其開花結果為前提，將這個世界上的所有具體事物進行抽象思考。為了達到這個目標，讓自己所有的新發現都能開花結果，擁有越多的具體事物題材，對自己則越有利。順帶一提，我每次搭電車時，因為自己的大腦都會自行對電車上的廣告和乘客的言行舉止等所有車廂內發生的事實現象，開始進行以一句話來下標的抽象思考，所以每次整個腦袋都呈現快要爆炸的緊繃狀態。這是因為在大腦內部，以驚人的速率在進行將眾多具體事物抽象思考，再轉變為能廣泛應用規律的龐大思考作業。

請各位也要像我一樣，在發現「這個社會上成功運作的事物」、「自己單純地認為這個事物實在不錯」的時候，不要讓這種想法溜走，要試著將它們捕捉下來進行抽象思考。像一般人都曾有過「不知道是什麼原因，這家店給我十分舒適自在的感覺」這樣的感想，但通常都是就此打住，沒有繼續深入思考。我們必須要列出多項這類的基本因素，事先進行抽象思考。如此一來，如果下一次有機會自己要組織一個令人感到放鬆的社群團體時，便可以利用這個想法來做變化。只要基礎方向正確，不管是在實體社會中，或是網路環境下，都可以進行運用。即使是以某個特定對象來進行，只要能夠進行看見核心本質的抽象思考，達到預定目標的能力應該也會顯著的提升。

是否確實擁有「待解決的問題」？

關於抽象思考，有個容易掉入的陷阱。

閱畢這本書後，各位讀者可能會奮發地想「好！那就開始針對筆記內容抽象思考」，成為任何小事都要思考的狂熱者。這當然也是很好的轉變。但是，當一個人缺乏迫切的困難要解決，也就是沒有其他需要轉用的待解決問題，抽象思考只會變成一場遊戲。

我很幸運，有許多不得不解決的具體課題。除了自己也正面對十分嚴峻的挑戰，許多朋友也會問我「我現在碰到一個問題……」，滿懷期待地想找我商量。

也就是說，我在抽象思考後，有許多地方能轉用新知。當然，即使目前沒有明確需求，為了將來的轉用事先進行抽象思考也是可行的方案，甚至可說必須這麼做，但是，與那些確實擁有「待解決問題」的人相比，效率和動機便減低許多。

假使我是編輯，上級要求我，「再給你半年時間，沒有賣出十萬本書的話，你就會被開除！」自己便會開始擷取社會中當紅的案例進行抽象思考，再轉用到「讓書暢銷的創新點子」上。假設自己的眼前有項功課，要在「下禮拜之前想出一個企畫案主題」，我會思考所有觸目所及的文字，考量是否適合用在標題上。能適時為自己增加一些「待解決問題」的人，會有相當驚人的成長。

時常聽到，哪位創業者到國外旅行，因而產生打造自己事業版圖的想法。這個例子也與前面所述的一樣，將自己放置在與平常生活不同的空間裡，接受不同的刺激與訊息，並且可能為了進行抽象思考而動身前往尋找嶄新的具體事物。然後，也是為了想要解決目前「打造新事業」的問題需求，而動身尋找能轉用在此一案例上的具體事物，並擷取菁華，再將這個嶄新的想法加以轉用。

但是，儘管很常去國外，甚至是去外太空，只要自己沒有非常想解決的具體事項，也不會有特別想要進行抽象思考的動機吧？在這層意義上，「明確找出待解決事項」在進行抽象思考的前段過程中，也許是每個商業人士都必須先面對的問題。

What型的抽象思考，能提升語言力

到這個部分為止，已經與各位提到How型和Why型這些以事物本質形式抽象思考的重要。What型與前面兩者相比，在轉用時的影響力確實較低。但是在這裡要再強調一次，以What型進行抽象思考，能將所有的思考概念轉化成一句淺顯易懂的標語，因此會提升「語言力」。而語言力，是在做筆記時絕對不可缺少的能力。

在做筆記的當下，一定得將所有的事實現象或想法轉換成文字記錄在紙上。也就是說，在做筆記時，「語言力」的技巧是一個必要的大前提。反過來

說，透過強迫自己練習做筆記的這項習慣，自然能提升語言力，而這項能力在許多場合上也能有加分的效果。

語言力的加分效果要比想像中來得強大許多。舉例來說，在團體組織的管理上，讓部屬有所期待非常重要。那麼，要用什麼樣的語言來傳遞這種期待呢？善於使用語言的人，與不擅言詞的人就會有截然不同的結果。

能想像對方的心情，並了解到「用這樣的語言來表達，應該會讓對方感到振奮」的人，應該也很擅長部門的管理。擅長語言表達者所說的話，容易讓人留下深刻的印象。「該怎麼說呢？這個、這個，還有這個……希望這件事你也可以做到」，這樣具體地將所有期待進行條列式的敘述，與「在這半年裡，希望你可以做到的一件事就是『提升管理能力』！」這樣的說法相比，雖然先提出較抽象的說法，但使用關鍵的字眼來明顯清楚表達。如此一來，可能「提升管理能力」這個抽象程度較高的關鍵詞彙，可以讓對方留下較深的印象。對方在有所煩惱時，這個關鍵字應該也會像一些著名標語一樣閃過對方腦海吧！

再者，如果擅長將一些想法以明確的詞彙進行表達，自己周遭的朋友也容易變多。

要在事業上、企畫案裡，或自己要進行的某項挑戰中，打造出能吸引氣味相投的朋友能自然而然聚集在一起的環境，最重要的就是必須使用能表達自己內在熱情的「生動語言」。這種因為語言表達而不經意顯現出自我熱情的傳達訊息方式，感覺也不單純是只有熱情就可以達成，有相當大的部分必須仰賴語言。經過What型抽象思考的訓練，當自己能用自己所組織創造的生動語言來說話時，能感受到共鳴的人便會自然群聚過來。

只靠右腦無法打動人心

我是不是從一開始便很自然地能將所有想法轉化為語言呢？答案是否定

的。我開始刻意訓練語言力，是從學校畢業進入社會之後。我在剛畢業進入外商投資銀行工作時，徹底鍛鍊出語言力。

在投資銀行中，必須將全球經濟狀況和投資市場分析的結果傳達給客戶，引起客戶投資的欲望。因此，由左腦掌管的表達事實情況的語言力非常重要。雖然是法人投資戶，但這是需要讓一個人獨自決定金額高達一億日圓以上的大型投資案，因此，提供相關可靠資訊以協助邏輯推理非常重要。

舉例來說，因為右腦的直覺感受，覺得「不知道為什麼，我覺得這間公司的股票應該要買會比較好」。不過，這樣的感覺純粹只是個人直覺的反應，在這個階段還無法轉化成語言。在有強烈第六感的人身上，直覺感受真的有非常高的機率會變成真實。真實原因有很大一個部分仍然需要有科學依據的解釋。

不過，如果不是有相當的動力，一般人光憑直覺很難會付諸行動。但如果那個人能讓人感受到信賴，並且有親眼可見的實際成果，則又另當別論。正如同俗語說「大樹底下好乘涼」，原則上一般人不會完全注意說話的內容是在說什麼，而會將重點放在「是誰在說話」，然後再決定要聽從誰的主張，所以還無法拿出實際成果的個人，即使講的內容再好，也無法傳達給對方。

因此，在策略上是先要成為某個「有力的人物」，但為了達到這個目標，最重要的關鍵是必須讓其他人也一起參加同樣的群體。因為自己一個人單打獨鬥的話，所能獲得的成果十分有限，能讓自己周圍的人都對同一事物感興趣，然後順利讓大家投身其中，並產出成果，便能逐漸成長為某個「有力人士」。

那麼，要如何才能將周遭的人拉進同一個群體呢？那便是「語言」，還有邏輯。當然，最基本的大前提是要讓人感受到無比沸騰的熱情。在沒有任何實際成果的狀態下，想要讓人參與其中，就一定要運用語言的力量讓對方產生「想要協助這個人」、「想要為這個人賭一把」或「這個人講的話應該是對的」的這種感覺。這種關鍵時刻所要發揮的能力，正是本小節所提到的由左腦掌管的語言力。

在成立SHOWROOM這個網站時，剛開始也完全是依靠我個人的直覺，大概是「這樣的一個東西要出現了」的感覺，也無法再繼續深入說明靈感。剛開始時，只是大致上具備說服力的模式，對「為什麼會有這種想法」的疑問還沒有辦法完全用語言描述。

一直到現在，我仍然記得自己在青少年時期，在車站前當街頭藝人彈奏吉他維生時，駐足聆聽彈唱的客人付錢給自己時的幸福表情、客人因為自己的演奏而感到高興，然後自己得到客人打賞時那種難以言喻的滿足感。這些都是沒有親身體驗過便無法明白的感受，很難用言語來形容。

不過，當時還沒有任何名氣的自己，恐怕講什麼也不會有人相信。因此，舉個例來說，自己便試著分析在中國大為流行的線上影音直播軟體商機，以各種角度將這種業務的潛力轉化成語言，增加同樣關注此一訊息的群眾。這個時候便會深深感受到語言力在達成目標時的重要程度，也能實際目睹用自己創造出的淺顯易懂語言，再加上本身對該事物的熱情這兩者相乘所產生的爆發力。

將事實轉換成語言的第一步驟是向自我內心提問「為什麼」

那麼，應如何理解並學習到將事實轉換成語言的能力呢？當然最好的方式是大量且不斷地反覆進行吸收與輸出資訊的行為。以擅長表達的人所說的語言和抽象思考邏輯作為範本，原封不動輸入自己的腦中。接著再針對所有吸收進來的資訊，先不做深入思考，運用前面提到的What型、How型、Why型方法，不停為所有吸收的資訊進行抽象思考。不過，對於沒有那麼多時間、剛開始也不知道從哪裡著手的人，我建議先試著從自己「尚未轉換成語言的深層意識」這部分開始行動，這個思考過程稱為「內在意識上的抽象思考」，在抽象思考的三種類型之中，雖然是歸納在Why型（為什麼自己會對此感興趣？以本質來說為什麼會如此思考）之中，但簡單來說，就是要對自己提出「**為什麼會有這種感覺**」的疑問，然後在面對一連串的為什麼之後，將從那裡產生的所有思緒毫無遺漏的逐一轉化為語言。

在此舉一個「內在意識上的抽象思考」例子來說明。假設去聽完某場演講後，覺得「真的學到很多東西」。在這個時間點上，還只是屬於感覺到「好像學到某種新事物」這種表面粗淺、沒有轉用可能的自我意識狀態。如果在這個地方沒有迫切需要，而沒有進行深入的思考，或是沒有將這種感受傳達給他人，這個好不容易在這種時刻產生的自我意識種子，便沒有發芽茁壯的機會，而漸漸被人遺忘。

所以，各位必須在這個部分稍微停下腳步，向自己問道「等一下！自己為什麼會覺得學到新事物？」試著將自己的意識抽象思考。然後將在此得到的新發現轉換成語言的這個步驟，便稱作「轉換為語言」（言語化）。

我將不知不覺中應該進行深入思考卻尚未完成抽象思考的表面意識及發現，藉由做筆記的習慣，提醒自己要再進行抽象思考及轉換成語言。我在筆記本中的左頁寫下「學到很多新的事物」，之後如果沒有在右頁空白寫下自己思考後的結論，便無法安心。就算覺得麻煩瑣碎，我也會深入思考為什麼會感覺到學了很多新事物？到底是學到哪些新的東西？要怎麼樣去學習那些新事物？最後將這些思考轉化成語言記錄在筆記本上。

這種「意識上的抽象思考」機會，在日常生活中真的是俯拾即是。像「覺得這部電影實在很好看」的這個情況，實際上有八到九成的人，都只是單純覺得「很好看」就結束，沒有深入進行思考。這種直率且單純的感覺本身，是一種非常珍貴稀有的存在，不可以讓它溜走。對這種單純的意識感覺進行深入探索，尋找「為什麼」再轉換成語言的步驟，正是能提升自己抽象思考和語言力的最好機會。確實執行思考「為什麼覺得好看」的步驟，再用自己的語言描述轉達給他人，將會為自己帶來相當大的幫助。

如果覺得自己獨自一人很難養成持續寫筆記的習慣，我建議可以嘗試推特這種類型的社群軟體。感覺〇〇很好看、自己覺得原因是〇〇，把自己感受到的原因、理由具體以語言記錄下來。以簡單易懂且具自我風格的語言來發文，應該很容易受到其他朋友的關注。

相反的，如果是艱深難懂的詞彙，或是在某個地方好像也有聽過的類似評論，便無法獲得共鳴。善用這種方式強迫自己在一定的規範下持續進行語言轉換的訓練，便能磨練自己的語言力。

無論是做筆記也好，或是在推特上發文都沒有關係。反正重點是在於要掌握某個瞬間產生的意識，並且毫無遺漏地將它們轉換為語言。

講究修辭，創造出自己獨特的語言

日本網路公司（DeNA）的創辦人南場智子女士，使用所謂「優質的非常識」（良質な非常識）語言，也就是一聽就可以明白的淺顯詞彙說話，總是令人覺得印象深刻。我非常喜歡「優質的非常識」這句話，自己的腦海裡總是常出現這句話，且對自己的行為產生影響。如果企業經營者可以像這樣說話都直指問題核心，並發出令他人留下深刻鮮明印象的話語，他的周遭肯定聚集了大批感受到共鳴的人。所謂的修辭（rhetoric）就是讓語言能巧妙地表達說話者想要傳達的事物，同時也代表了製造出這種淺顯易懂且富感染力語言的能力和技巧。

日本演藝幕後工作者秋元康先生，十分擅長此道。關於修辭，也是有許多類型，但最常見到的技巧是「把到目前為止都沒有搭配過的詞彙組合在一起」。秋元康先生正是十分善於使用這種技巧，並能迅速製造出讓人感到驚豔的全新詞彙組合。

舉例來說，秋元康先生在填詞時使用了「短暫的永恆」（短い永遠）這個句子。

本來「永恆」和「短暫」這兩個語詞是互相矛盾的。因此，到目前為止應該也未曾搭配在一起使用。也是因為這兩種前所未有、全新的組合嘗試，讓人耳目一新，帶給人更深切的印象與感動。

短暫的永恆是怎麼一回事呢？舉例來說，有一個中學年紀的學生，現在和喜歡的對象一起坐在公園的椅子上，他們第一次牽手的那個瞬間。雖然內心想著「希望這種能讓全身發燙但又感覺美好的幸福永遠持續下去」，但這並不會是永恆，在門禁時間之前必須回家。「短暫的永恆」應該就是要表現出戀愛時的這種淡淡酸甜的滋味吧？像前面所說的，如果使用這種修辭精練的詞彙語句，這個語詞一定深深烙印在聆聽者的內心。在對方牢記在心之後，這個語詞還能持續在對方心理成長茁壯，最後便會留下不可磨滅的深刻印象。

我在與廣播編劇作家鈴木收先生談話時，一直對他精練的修辭技巧感到非常崇拜。之前，鈴木收先生創造出「生ＶＲ」（現場的虛擬實境）這個詞彙。

當時為了要討論一個虛擬角色人物實體見面會的企畫案，大家一起思考要怎麼為這個企畫命名。當大夥兒都沉默的靜靜思考時，鈴木收先生突然小聲地說道，「現場VR（生VR）這個詞應該可以吧？」我突然恍然大悟。之後再深入思考，發現「生」這個字在日文中有實體的、現場的含意，與虛擬實境的「VR」是完全相反的語詞。

由此可以了解到像前面提到的例子裡，將原本意義互相矛盾的語詞加以搭配組合，讓眾人內心產生疑問，藉此製造更深的影響力。這樣的發現本身就是一種抽象思考的作業。如果各位讀者可以像前面內容中所述的人物一樣，對自己使用的語言在修辭方面有自己獨到的技巧，讓它們別具特色與風格，那麼將事實轉化成語言力便能更加提高。

擅長化想法為語言者的兩大共同特徵

在前面的部分也有提到，如果不把一種概念冠上一個名稱，人類就無法進行思考，而且也難以記憶在大腦中，更沒有辦法運用在其他場合。人類是透過抽象思考概念，還有將事實轉化為語言表現出來以取得創造力。

舉例來說，在學校學英文的文法也是相同的道理。因為文法有分「過去式」或「假設型」等等語言本身存在的規律，所以可以運用在其他方面。如果每次都要解釋「在文法上，要說到以前的事都要在字尾加ed……」，實在非常沒有效率，而且很難適用在其他事物上。一旦將這個概念抽象轉換，並加上「過去式」這個名稱，所有的思考和討論便可順利進行。

前面提到的南場智子女士、秋元康先生和鈴木收先生，在語言力方面都有相當高的造詣。能將一種概念進行抽象思考後，搭配上最貼切、適當的詞語。擅長將事實現象轉換成語言的人，大致來說有以下兩種特徵——

一個是具有高度的抽象思考能力。在這之中，舉一反三的類推能力尤其優秀。所謂的類比、比喻（analogy），就是能在乍見之下毫無關係的事物中，尋找到某個共同點，然後將彼此連結在一起的思考方式。也就是在日常生活周遭找尋具體事物的特徵，進行抽象思考，然後再將此一概念套用在其他具體事物上。

例如，秋元康先生曾在我進行採訪時說道，「前田先生，你真是個像獵人一樣的男子。」在實際條件上，我和獵人之間實在天差地遠。能掌握應該要用多遙遠的具體事例進行抽象思考的能力，會在不斷的反覆練習中磨練得更加完美。

實際上各位也已經知道，在使用「像〇〇一樣」這種直接比喻法來舉例時，要選擇目前為止沒有使用過的語詞。當然，將前田和獵人兩個語詞結合在一起，秋元康先生是前無古人、後無來者的第一人。因為提到關係較遠的具體事物，會讓人產生疑惑，進而提出「啊？怎麼會有這種說法」的問題，而引起人們的興趣。然後，秋元康先生接著解釋道，「其實，擅於狩獵的獵人，在舉起槍瞄準獵物時，不只用一隻眼睛，而是用雙眼尋找獵物再進行射擊。」於是，我便感到「啊！原來是這樣」，因為這時我便了解到秋元康先生會加以類推、聯想的主要概念是我會使用雙眼觀察事物，而不是僅用單一的眼光去判斷。

我覺得秋元康先生運用他異於常人的細膩感性，彷彿將所有事物貼上「抽象思考的標籤記號」，每天都在為這種舉一而能反三的類推思考蒐集基礎資料。舉例來說，美空雲雀著名的一首歌《川流不息》（川の流れのように）中，歌詞寫道「人生就像川流不息的河水」，實在比喻得十分精妙，正因為有高度的抽象思考能力才能有這種優秀的類推表現。在凝視著川流不息的河水時，會想到「啊！所謂的河流，就是有的地方會蜿蜒曲折，有的地方又平直寬闊。也就是有順利的時候和艱難困苦的時候這兩個特點」。既可以在這個時間點上停止思考的步驟，將思緒停留在這樣的階段，但也可以想到「這彷彿就是人生的過程」，將河流抽象思考並且直接轉用在人的一生上。找出事物的特點並進行抽象思考，雖然乍見之下是種單調無趣的工作，卻能大幅提升我們將事實現象轉換成語言的能力。

擅長將事實現象轉換成語言的人有另一個特徵是，擅於為抽象的概念命名。或者是很擅長為還沒決定名稱的事物下標題，也就是決定關鍵字的能力。他們可以將抽象且難以言喻的概念，透過加上語言來明確的表達，而得以存在於這個世界。

舉例來說，雖然不清楚是哪個人想出「自我分析」這個詞彙，但是個很直覺式，也很好記的詞彙，這就是將思考化為語言的極佳例子。如果把「自我分析」這個詞彙改稱為「前田思考」，很可能會讓人產生困擾。如果再加以解釋說道「客觀檢視自己的內心，並進行分析這件事，便稱為前田思考」，應該還是會讓人疑惑，「啊？前田？那是哪位？」這就是一個簡單易懂的例子，說明了命名並不一定要運用類推法或精練的修辭，只要讓人看了字面上的文字，能立即明瞭該詞語的意涵，就算成功。在命名時，不須特意在修辭上鑽研，首先要做到讓人能夠直覺式聯想，且膾炙人口的語詞，這也可以說是一種語言力。

記下「讓自己感動的語詞」可以讓語言表現更加精練出色

各位應該會覺得，既然要化為語言，就得儘量思考出具有影響力的詞彙。要怎麼樣才能增加這種語彙的產量呢？我的建議非常簡單，就是儘量多記錄下讓自己感到有趣，或是令自己深受感動的語詞即可。將之後要進行的抽象思考暫且擱置一旁，先專注在多記錄令自己印象深刻語詞的這一方面上。

舉個例子來說，我最近常常使用「可處分的精神層面」（註：日文為「可處分精神」）這樣的詞彙。在解釋這個詞語本身的涵義之外，也常常會將話題引申到整個社會的潮流，從搶奪扣掉勞保和稅金的「可處分所得」，轉變為爭奪扣除每日工作之外的「可處分時間」，之後逐漸演變成現在各家企業爭相奪取「可處分的精神層面」上的商機。

「可處分的精神層面」這個詞彙並不是我獨創，而是在與行動廣告公司Metaps的社長佐藤航陽吃午餐時對方所講的話，我一聽到之後便立刻筆記下來。我不會在意這個詞彙一開始是由誰思考出來，只要是自己覺得不錯的語詞，就是自己應該吸收的對象，會馬上做筆記。交情良好的企業經營者和各界著名人物的言談之中，有我所創的詞彙，而我的言論之中，也會受前述眾人的影響，我認為有這種可以在語言力方面互相切磋琢磨的朋友，非常幸運。

順道一提，「可處分的精神層面」這個詞語要是轉換成商務人士經常使用的語言，也可以說是「心智占有率」（Mind Share）。這原本是屬於市場行銷方面的詞彙，指的是某家企業、產品或品牌在消費者心中所占的比例程度，近來此一詞彙的涵義又更加廣泛。當一個人的整體心靈層次容量達一〇〇％時，在工作上遇到重要案子的時候，或許工作占整體內心的重要比例約八〇％到九〇％。如果有了男女朋友，愛情的重要也許會在某個瞬間變成八〇％到九〇％。假設突然發生了某件大新聞，那件新聞可能在瞬間占據了所有內心的容量。在一部分的商業社群裡，會將這個概念稱為「心智占有率」，我只是替此種概念重新取了個「可處分的精神層面」這樣一個名稱，讓對方感到印象深刻，且有耳目一新的感受。

在記錄下「可處分的精神層面」這樣一個名詞時，我會一起思考「在提到某個案例時可以一起運用」。因此，佐藤航陽先生在使用這個詞語時的思考邏輯，和我在使用這個名詞時的思考方式很有可能會產生變化。如果能在言談間熟練地掌握具體和抽象事物之間的轉換方式，就可以將他人所創的詞語巧妙運用在自己的言談之中。

極具影響力的人物通常在言談間使用的詞彙都非常簡練。在自己說話時，可以藉著善用這些詞語，讓自己的語言表現增添色彩，同時也可提升語言表現的技巧。

例如，我自己經常使用擷取自電影或戲劇中的詞句。因為這些劇本中的台詞，極有可能是編劇花了數個小時絞盡腦汁思考後，精心安排在整個故事情節裡，想要感動人心的關鍵，所以會想要把這些深具影響力的詞彙儲存在自己的資料庫中。

只要是能感動自己的詞彙，或是有任何讓自己產生興趣的表現方式，建議各位都要儘量記錄下來。

即使是首歌也無妨，或是在馬路上看到的廣告招牌、朋友無意間說的一句話或某間店的名稱都可以。可以原封不動地使用這個詞彙，也可以在抽象思考之後，將那種概念運用到其他事物上。我以前在沖繩街頭漫步時，曾經看到一間名為「京都」的日式酒吧。明明地點是在沖繩，卻大剌剌的使用「京都」這個名詞，自己覺得十分有趣就馬上記錄下來。那個時候對這樣的一個訊息並沒有什麼特別的想法，只是單純記錄下來而已。在這之後，我在北海道時也偶然看到一間名為「童話」的日式酒吧，進去一看，便有一位完全沒有童話感的媽媽桑出來迎接。因為印象實在太過深刻，所以也把**「童話」**（註：メルヘン，源自德文Märchen）這個詞記在筆記本中。這時，我想起了之前也曾經記錄過的「**京都**」一詞，便從這兩個詞語中，得到「**與現實情況有相當差距，也就是取了與實際情況反差極大的名字，容易讓人留下深刻印象**」這樣一個抽象的結論。像這樣將無意間的發現記錄下來，就可以在之後的某個時刻裡豐富自己的語言表現，讓自己的言談內容更加充實。

首先**仔細觀察，發現有趣的語言表現時，自己的內心會產生什麼樣的變化？**藉由這樣的練習，當自己變成扮演發出訊息的那個角色時，才能產生出更具創造力的語言，也才更能震撼人心。

「主觀思考」與「客觀思考」可加速抽象思考

在提升抽象思考能力時，還有另一件應學習的事，那就是練習培養「讓自己稍退一步的客觀視角」。

在日本室町時代集結能劇（註：日本特有的古典歌舞劇）之藝於大成的世阿彌，在論及能樂的《花鏡》一書中有提到**「我見」**（がけん／gaken）和**「離見」**（りけん／liken）（註：客觀地看待自我）這兩個詞彙。

在表演的世界裡，當然有優秀的演員和表現欠佳的演員，這兩者的界線在什麼地方呢？答案即在於「眼睛」。所謂表現不好的演員，它們只能看到自己周遭實際存在的事物，也就是「我見」。另外，一位優秀的演員，可以抽離自我的軀體，擁有客觀審視自我的**「離見」**之眼。也就是擁有能暫時脫離自己的肉體，從各個角度檢視自我演技的眼光。簡單的說，就是旁觀者的客觀角度。世阿彌在書中提到離見之眼，也就是能擁有「離見之眼的眼光」，然後讓自己實際所見的「我見」與離見之眼所見的客觀事物一致，便能有精湛的演技。

每天在不知不覺中記錄下來的內容，很可能會偏於「我見」，因為都是從自己的角度和主觀意識記錄及篩選。脫離平常的空間，從平靜且客觀的角度審視自我時所感受到的「離見之見」，在進行抽象思考時非常重要。日本網購平台Japanet Takata的創社社長高田明先生，在能樂方面有很深的造詣，據說也是從這種感受到離見之見的客觀角度，來提升自己的表達能力。

透過拍照培養「客觀思考的眼光」

要訓練「離見之見」的方法，雖然也可以錄下自己的行為舉止，事後再檢視，但另外還有一個方式，是一位著名攝影師教我的有趣方法。那就是每天固定拍攝一定張數的照片，在事後再來仔細翻閱。舉例來說設定一天要照五十張照片。於是在當今的世界裡，這個時間點的自己會用什麼樣的角度去詮釋這個世界？每天抱著期待興奮的心情，試著去自由取景拍照。

於是，隨著每日當時心情的不同，鏡頭下所拍攝的事物也隨之轉變。當自己重新回頭檢視自己拍攝的照片時，便可以發現「全都是在拍花朵」或是「幾乎都在拍建築」這些自己的偏好。這種感覺就是「脫離自我、客觀檢視」，也就是接近「離見」的第一步驟，也有可能意外發現原來自己不是很了解自己。教我這個方法的攝影師，並不是為了要讓自己的攝影技術更加精湛，而是為了要能更客觀地檢視自我，而持續進行這樣的練習。然後自己就會發現「現在喜歡這種樣子的花」或者是「現在拍的東西都是黃色的」，然後再將這些照片轉變為具體的語言。也就是透過攝影和照片這種感性的方式，進行「自我分析」。

因為注意到「離見」的客觀角度，連帶也容易發現出隱藏在整體結構、自己身上或事物內部的基本性質，讓抽象思考更加容易進行。

「抽象思考遊戲」的建議

目前為止，已經和各位分享了抽象思考的方式。在本章的結尾，我要與各位讀者分享在SHOWROOM公司內部，常與員工一起進行的一項「遊戲」。

雖然這個遊戲稱為「抽象思考遊戲」，但只要習慣了這種方式，日常生活中的所有具體事物和現象都可以成為學習抽象思考的素材。雖然這種方法看起來或許顯得有些瘋狂（笑），但大力推薦給想要愉快練習，提升抽象思考技巧的人。

因為這只是遊戲而已，所以與是否真的適合抽象思考的題材沒有直接關係。各位可以試著說出雙眼所見的事物，然後試著把乍見之下毫不相關的其他事物與之做連結，也就是「A是B」的模式。在說了之後，試著用How型的方式思考出兩者的共同點。

舉例來說，突然丟出一個「請試著說明『休閒娛樂和蘇打威士忌調酒』這個主題」。在提到「A是B」的時候，要練習從B之中提煉出抽象的概念，再說出與A之間的共同點。

順帶一提，A的部分一定要是具有高抽象性質的詞彙，也就是能「廣泛適用在各種場合中的詞彙」，不然遊戲會很難進行下去。例如像「你不覺得人生就像小籠包嗎」或是「所謂的工作，有點像是在打麻將吧」這樣子的話，遊戲本身也會變得有趣。

前些日子，公司員工前往中式的家庭料理餐廳「Bamiyan」中為「小籠包」進行抽象思考，而得到了一個結論「人生就像是小籠包」。會歸納出如此的結論，原因有三，第一是因為「需要花長時間蒸小籠包」、第二點是「重點核心在內部」，然後第三點是「不注意的話會燙傷」。從這三點原因看來，各位不覺得這就是人生嗎？這項遊戲的內容，也大致是如此。

如果能用相當快的速度進行這樣的思考，便能學習到相當程度的抽象思考能力。各位如果覺得自己在抽象思考方面有不錯的成果，請不要忘記在社群網站上標註一下前田裕二！

第三章

用筆記認識自己

筆記的魔力告訴我「自己是誰」

目前為止提到「具體事實、抽象思考、轉用」，是使用筆記這個魔法工具該注意的概念。並針對其核心，也就是「抽象思考」，仔細思索了一遍。

現在才要開始進入主題。這不是一本單純介紹筆記或思考術的知識工具書。學習這些筆記技巧或抽象技法時，如果連「自己想做什麼」都不清楚，只會變得毫無意義。就好像一位戰士，沒有特別想打倒的敵人，卻拿著劍徘徊在沙場一樣。

那麼，如果你沒有「想打倒的敵人」，無法把敵人設定成該解決的課題與該達成的目標，又該怎麼做才好呢？本章的目的就是：透過目前為止告訴大家的筆記的魔力，解決這個問題。大家最該知道的，重要程度超越所有知識技能的，是那一根把自己片段人生串刺在一起的竹籤，也就是，實質的人生軸線。

我一邊寫這本書，一邊看著自己一路抄寫過來的海量筆記，量多到了令人發瘋的程度。為什麼我會這麼執著於記筆記呢？我不禁對自己投問一個「Why」。然後，得到的抽象解答很簡單，就是「因為有強烈渴望的東西」。無論如何，就算拚了老命、賭上人生，也想實現那個渴望。為了達成目的，我的武器就是筆記，當渴望的想法愈強烈，我愈不厭其煩去記筆記。

我是誰？我真正希望的是什麼？想釐清這些，筆記真的能幫上大忙。就像這本書一開始提到的，人類截至目前為止從事的大部分工作，今後都能委由機器代勞。到了那樣的ＡＩ時代，過著機器無法取代、具有人性的生活方式的人，他們心中的「感情」，才是最有價值的存在。例如，如果有人傾注全力在玩，說不定會有一大堆人排隊拜託他「教我那個玩法」。換言之，能不能成為明確回答「我是誰」、「我現在想做什麼」、「我今後要做什麼」等問題的人，今後將會愈顯重要。

而這些，也是任何人「找工作」時都要去思考的問題。不要小看找工作時必填的「自我分析」，只要你好好填，就一定能從中發現一些東西。

無論是誰，最後一定會遇到「我想做什麼」這個問題一樣。不知自己想做什麼的人，就算讀再多商業書、參加再多研討會，也不會有任何長進。「認識自己」，比什麼都來得重要。

在這個資訊氾濫的年代，不被資訊牽著鼻子走的人，才是強者中的強者。這與有沒有錢無關，清楚知道自己想做什麼的人，我認為是最幸福的。

與企管顧問波頭亮先生對談時，他提到，「或許曾有過『有錢的人最富有』的年代，但今後，只會朝『有議題的人最富有』去發展。也就是說，愈是明確知道自己想做什麼的人、愈有自己一套審美觀的人，愈是富足。就算有再多錢，不知自己要什麼，也沒有自己對美的價值觀，只可能變得不幸。」我認為真的是這樣。

現在才做「自我分析」可能有點辛苦。可以的話，還真想移開視線，試著不去看自己討厭的部分。

只是，在這個漸漸沒有「非做不可的事」的世界，去發掘「我是誰」、「我想做什麼」，相形重要。如果知道自己想做什麼，接下來只要「去做就好」，就能把生命集中在重要的事情上。

成為不被時代淘汰的人才

現今世界，無論在哪個角落，遇到的人幾乎都是隨時隨地滑著「智慧型手機」。如此現象，十年前誰也料想不到。

而且，今後科技會以較目前為止更快的速度加速發展，所以接下來的十年，不，五年就好，會發生什麼事，誰也無法正確預料。

不過，世界的大趨勢和可能走向某種程度是能夠預測的。

我預測其中一個趨勢，是朝「個體」聚焦。網路讓個體賦權（個人因自身努力而被公平賦予更多權力）變得可能，也因此，今後的時代會比現在更集中在的討論個體上。

把人生寄託於組織的時代已告終了。今後，即使在組織中，個人的技術或工作能力都變得「一覽無遺」（可視化），超越了組織藩籬，更多是以專案的形式來運作。

區塊鏈技術影響遍及生活每個層面，若持續朝分散型社會演化，則組織、企業等概念或框架，將逐漸消失不見。

然後，當你必須以「個體」的身分迎戰，卻還沒培養所需的基本架勢與技術，只要稍不留意，就會被時代淘汰。我們現在所面臨的，就是這麼極富挑戰的局面。

個體時代「宅」最強

那麼，今後社會，怎樣的「個體」才是有價值的呢？

我認為，對某種事物狂熱的「阿宅」能成為價值創造的源頭。他們對於某件事，非常熟悉了解，喜歡到無法自拔，無論何時，腦海裡總是不自覺地想著那件事。

就好像，堀江貴文先生。

他對於和牛和火箭的話題很狂熱，話匣子一旦打開，就停不下來。將來的時代就是，像這樣對一件事物傾注大量熱情的人，在集結眾人共鳴的同時，也集結了賺錢機會。

當然，光憑阿宅的狂熱並不全面，有沒有自己獨特的觀點與品味，才最重要。並非只是「熟知」，而是在熟知之後，沉澱出個人獨有的「觀點」，才能讓這項知識變得有價值、變得能上市售被消費。

例如，搞笑組合金剛的西野亮廣先生提出的「記號書店」，任何人都能透過這個平台，開一家二手書店，書店裡賣的，是一般流通於市面的書，但基於某些理由，這些書能賣高於訂價好幾倍，甚至還有開價三萬日圓成交的案例。

引起魔法般效應的，是記號書店裡拿來買賣的「瑕疵書」，也就是「標有自己慣用的『記號』的書」。因為書的主人在閱讀時，用螢光筆在在意的地方畫線、寫評論，於是成了一本有瑕疵的二手書。

而這裡被視為有價值的，不是書裡記載的「資訊」，而是書的主人閱讀時的「觀點」。

對某樣東西很熱血、沉迷其中到無法自拔的人，將會是下個時代的強者。因此，認識自己、了解自己的渴望變得非常重要。

為了求職，寫了三十本「自我分析筆記」

我在找工作的那一陣子，寫了三十本「自我分析筆記」。一般人肯定要問：寫這麼多？到底寫些什麼？主要基於「把過去自己的想法拿來抽象思考」這個出發點，我全力回顧截至目前為止的人生，並把它們全部記錄下來。

具體來說，我到底做了什麼？首先，有助於回顧自己人生的問題與架構，世上已有現有的了，再在上面花時間，只是徒勞而已。所以，我把坊間書局賣的求職用自我分析書全都買回家，然後再把裡面的所有問題全都回答一遍。

如果一年有五十萬名應屆畢業生投入求職活動，且這些人都報名參加「自我了解賽」，我期許自己至少要成為排名前面的一%，也就是要擠進前五千名，我就是以這樣的熱忱進行自我分析的。

我當時的第一志願是外商投資銀行，以書面申請階段的志願者母體數來看，一萬封求職申請書中，只會通過二到三封。因為「偶然」成為最前面的幾個百分比，絕對是不可能的。為了讓偶然成為必然，能做哪些努力呢？我仔細思考後，得到一個假設的結論，那就是「徹底深掘自己」。

發現「人生軸線」

例如，現在如果問你「喜歡什麼顏色」，你答不答得出來？「嗯，什麼顏色，那個……藍色吧！」一般都會這樣回答。

而我，因為找工作那陣子異常研究了自己一番，遇到這個問題，會這麼回答，「關於顏色，我想過很多，我喜歡三種顏色，分別是藍色、深藍色跟黑色，如果讓我選的話就是這三種顏色，至於為什麼喜歡，容我來告訴你。」

如果是日常對話還好，就怕是找工作時被面試官問到「喜歡什麼顏色」，因為他也不是真的想知道你究竟喜歡什麼顏色，只是想藉由輕鬆的問題，一窺你是什麼樣的個性，透過突然的提問，知道你對意外的展開會有什麼樣的反應。他想知道的是，你對自己了解多少？是否真摯地面對自己的人生？而這個假設是成立的。總之，對方之所以提問，是因為想知道「你喜歡的顏色」之外的目的。

像這樣，騰出時間回顧自己從出生到現在所感受到、所經歷過的各種要素，並深思其中意義。

如果能徹底分析到這個地步，自己擁有的「人生軸線」，就會隨之清楚浮現。「自己在這一刻容易感到幸福，如果以這個為目的，應該會變得非常快樂」諸如此類，自己調整自己該走的方向。一旦徹底瞭解自己，不可思議地，自然就會變得有自信。當然，也會發現自己無能為力的地方。然而，就是因為知道自己哪裡「無能為力」，才能有所成長，比起不知道自己缺點的人，更能向前邁進。

自我分析後，你也可能只看見自己的缺點，甚至連「軸線」在哪裡也一併看不見。這是有可能的。這時，不須沮喪，答案一定藏在截至目前為止的人生之中。怎麼找到它呢？容我告訴大家。你的未來會如何，誰也不知道。但過去到現在最了解你的，就是你自己。請把目光放在「藉由怎樣的意識與判斷活到現在」，去發現自己的人生軸線吧！我認為只要各位能信任本章所提的模式就沒問題，有緣透過本書，希望大家都能找到屬於自己的人生軸線，而在那之前，我會與大家並肩作戰。首先，請大家使盡全力去自我思考，思考後，必定會有所發現。

「章魚山葵理論」

如果還是無所發現呢？不希望大家帶著這種害怕的心態繼續讀下去，想給各位更進一步的定心丸，所以我話說在先。萬一之後透過我介紹的方法，還是找不到人生軸線的話，沒關係。到了那個時候，請稍微從現在正在做的、眼前必須做的事跳脫出來，騰出時間，試著客觀俯視自己。每天忙得焦頭爛額，只會讓自己愈來愈看不清。此時，到遠處一個人旅行，會是不錯的做法，試著接觸多種不同的價值觀也可以。看看電影、讀讀書、與人見面聽聽意見，說不定能從中發現新的選擇。回看過往人生也找不到想做的事的人，就不要把目光放在過去，反而是，透過新的體驗——就算多一個新的體驗也好——接觸新的選擇。

我稱這種思考模式為「章魚山葵理論」。

舉例來說，如果問小學生「假設明天地球會毀滅，今晚你想吃什麼」，得到的答案，恐怕脫離不了漢堡排、咖哩飯、炸雞塊之類的吧。如果有孩子回答「想吃章魚山葵」，只會覺得相當老成。不，恐怕沒有孩子會這麼回答。有點不可思議吧。當你給小孩吃一口章魚山葵，對他來說，這可能是世界上最美味的食物了，但為什麼他不回答「章魚山葵」呢？原因很簡單。人之所以對某些對象投注「喜歡」的情緒、抱持「我想變成那樣」的心情，原則上，大多受到經驗影響。對於沒經歷過的、不知道的事，當然連冒出「想做」的想法都不會有。唯有提高經驗次數，才能提高找到「想做的事」的機率。認真付諸行動，必定有所斬獲。然後，一旦找到，請全力迎戰那件「你想做的事」。

回答所有自我分析的問題

自我分析筆記的記法與格式各式各樣。全世界、每年都在不斷進化。而我自己也仍持續不斷地自我分析中。

比起「形式」，更重要的是進行自我分析念頭的強度以及熱度。藉由強而有力、不半途而廢的熱度，不斷面對「認識自己」、「將自己想法組織起來並化為語言」等課題。所以，先簡單地從每一個「用來認識自己的問題」開始回答起。

中長期來說，變得「自己也能對自己提出問題」雖然重要，但關於自我分析這個議題，已經有很多人在上面投注過心力。認識自己時該問什麼問題，前人已經考慮過了，所以跳過這個步驟，以熱切的態度直接回答問題就好。請大家把我在大學時期做過的「自我分析一千題」全部回答一遍，一定能更加認識、理解自己，而這份問題集，會以附錄的形式，附於本書之後。光是回答這些題目，就能寫出數十本筆記了吧。

把世上能收集到的關於自我分析的好問題，儘量收集起來，再全部回答一遍。如果有狠角色把附錄裡的所有問題都回答完，下次就輪到自己擬定問題問自己了。跳脫出來檢視自己，從不同角度切入觀察，並將自己一點一滴的想法抽象思考，持續深入探知自己，彷彿在打一場永無停止的戰爭。

一旦找到你覺得「這是自己不變的價值觀」、貫徹自己中心思想的人生軸線，這條軸線很可能一輩子都不會變。以發現此軸線為前提的提問，將會不斷出現。在大家找到指引人生方向的羅盤，也就是奠定人生根基的軸線之前，請持續不斷回答這一千題。快的話，有人也能透過這一千題頓悟人生。總之，試著循序漸進回答這些刁難著自己的問題吧！

缺乏「抽象思考」，就不叫自我分析

不過，只懂得蒙著頭回答，無法提升自我分析的效率。自我分析時不可欠缺的，是讓「轉化具體事實」與「抽象思考」一搭一唱地演出。尤其在針對問題進行自我回答方面，俯瞰、抽象思考自己的想法，是很重要的步驟。

單純去回答「你的弱點是什麼？長處又是什麼？」等自我分析問題，誰都做得到吧。進一步把自己想到的具體弱點「抽象思考」，然後將抽象思考後的發現，「轉用」（轉化具體事實並使用）在其他地方，就會產生大到難以衡量的價值。

舉個例子吧。回答「自己的長處」時，寫下「很有耐心」這個答案。如果以此終結，這個自我分析未免太弱。這裡最好再進一步，把「怎樣有耐心」的具體事實寫下來。然後，針對事實，提出「為什麼」的疑問，把內藏的因素挖掘出來，並進行「抽象思考」。

去思考自己為什麼很有耐心、是什麼讓自己變得那麼有耐心？使自己的耐心成形的，又是什麼樣的經歷？假如面試時被問到「你的長處是什麼」，就算你回答「很有耐心」，話題也延續不下去。如果你能摸索出問話者心裡想說的話，「這個人進我們公司之後，真能發揮他的強項嗎？」再試著俯瞰有耐心的自己，就知道以更廣泛應用的形式進行抽象思考的重要了。

例如，當我被問到「前田先生的長處是什麼？」我可能會回答「付出絕對努力的熱情」。它會以「考試前一天用功〇個小時」或「每天工作到早上五點」等稍微具體的形式呈現。

接著，再進行抽象思考的工作。試著問自己，「那麼，為什麼我能如此鞠躬盡瘁做出絕對的努力呢？」增加抽象度來思考的話，就會得到「對命運的忿忿不平」這麼一個答案。

思及八歲時父母雙亡，當時貧困的痛苦回憶是連個像樣的讀書環境都沒有。即便如此，也絕不向命運低頭，絕不想輸給那些環境比自己優渥的人。說真的非常不甘心，自己又沒做錯什麼，為什麼會身處逆境？所以選擇去對抗命運，絕對要證明給大家看，雖然感受到逆境本身合乎常理，其存在自有道理。這也是我付出努力時的背景。

換言之，把所有付出絕對努力的具體案例攤出來看，再抽象思考「為什麼能付出這麼大努力」的原因。結論可以解釋成，「絕對努力」的上位概念（註：更通用、抽象度更高的概念）是「對命運的忿忿不平」。抽象思考、化為語言能做到這個地步，就能得到對他人或自己來說都極具說服力的自我分析解答。

若用一句話表現目前為止提到的有效自我分析模式，就是「想法化為具體語言×抽象思考」。

①著眼於自己的想法（化為具體語言）

②透過Why來深掘（抽象思考）

一般的自我分析，恐怕只停留在①，無法觸及一個人的核心本質。希望閱讀本書的各位，能去觸及隱含於自身深處的本質！我想一定可以的。

實際寫寫看自我分析筆記

趕緊翻開本書後面的自我分析一千題，先試著完成第一階段（回答這一百題後，再抽象思考），並寫成筆記。我來解說一下自我分析筆記的寫法。請翻到頁168到169。以跨頁紀錄為前提。請在左頁最上面寫下問題，把針對問題的具體回答寫在下面。如果回到剛剛我自己的例子，就是針對「自己的長處是什麼」這個問題，把所有想得到的具體實例統整起來，並加上「絕對努力」這個標題。請隨意地把這些事實寫在左頁，然後，筆鋒轉向右頁，在這裡進行抽象思考。把「絕對努力」的具體案例抽象思考後，在右頁中央拉一條直線到底，並在左側寫下「對命運的忿忿不平」。

面對抽象思考後得到的「對命運的忿忿不平」，接著要去想「擁有這種價值觀的自己，該怎麼做才好」。如果是我的話，會選擇「做出一番成績，足以消除這股憤怒，讓命運變得合情合理」。請把這個寫在右頁右側的轉用欄。這句話還太抽象，請再具體一點，把它化為實際馬上能採取的行動。

說不定有人已經注意到了，這個做法與目前為止介紹的筆記術如出一轍。它符合了「事實↓抽象思考↓轉用」這個智慧生產思考的黃金原則。

自我分析並非只適用於應屆畢業生求職時。即便已經出了社會，透過自我分析來認識自己的想法也是非常重要的。**還沒確定人生軸線的人，必須透過內省來確定；已經確定的人，如果能再度確認自己的價值觀是否沒動搖，將會帶給自己更多自信，讓自己回歸本質。**

本書的編輯箕輪先生畢業找工作時，曾回答「自己的強項是，只要是有趣的事，就會全力以赴」。在他身上具體發生的故事情節是「在印度被監禁後，沒去報警，反而馬上去網咖把這個有趣而奇特的經歷寫在部落格」。

依我提的格式，原本該把「只要是有趣的事，就會全力以赴」的原因抽象思考，但此價值觀本身已經沒有餘地再抽象思考了，對於這種已被廣泛使用的概念，不須勉強抽象思考。當「只要是有趣的事，就會全力以赴」的概念本身，剛好與自己所有行為吻合，那麼它就可以說是自己的議題。

但大多數情況是，被問到強項時，回答的答案往往沒那麼廣泛使用（至少問話者不覺得廣泛）。「當時只是剛好做出努力的吧？」別人可能這麼認為，自己也可能這麼認為。因此，藉由抽象思考進一步探尋出它的上位概念，讓它變成廣泛使用的概念，是不得不為的工作。

這麼做的目的，除了找工作時「能讓面試官採納」之外，即便不找工作，在尋找自我人生的羅盤，或尋找能夠轉用、不會偏移的人生軸線方面，也非常重要。缺乏軸線，當發生什麼讓自己動搖的事時，就會信心鬆動懷疑著，「咦？好像不太對……」

這條不會偏移的人生軸線，就像自己人生的船錨。請儘量提高船錨的抽象度，但又不要讓抽象度高到模糊失焦，透過自我分析，去找到這個抽象度剛剛好的船錨，以及不會把你指往錯誤方向的精準羅盤吧！

①幼少期的痛苦經驗

■事實：沒錢去補習，總覺得上補習班的孩子特別聰明。之後，只想拼死拼

活努力追過他們。

■抽象思考：想努力顛覆命運，證明逆境是彈簧，這些困苦成了自己的動機。

■轉用：以此動機為原點創業。將自身體會傳達給抱持同樣憤怒的人，給他們勇氣。

②小學時期的快樂經驗

■事實：哥哥看到成績單很高興。

■抽象思考：讓哥哥高興，自己也高興。

■轉用：做更多讓哥哥高興的事。

③中學時期影響我最大的人

■事實：送我吉他的親戚哥哥。

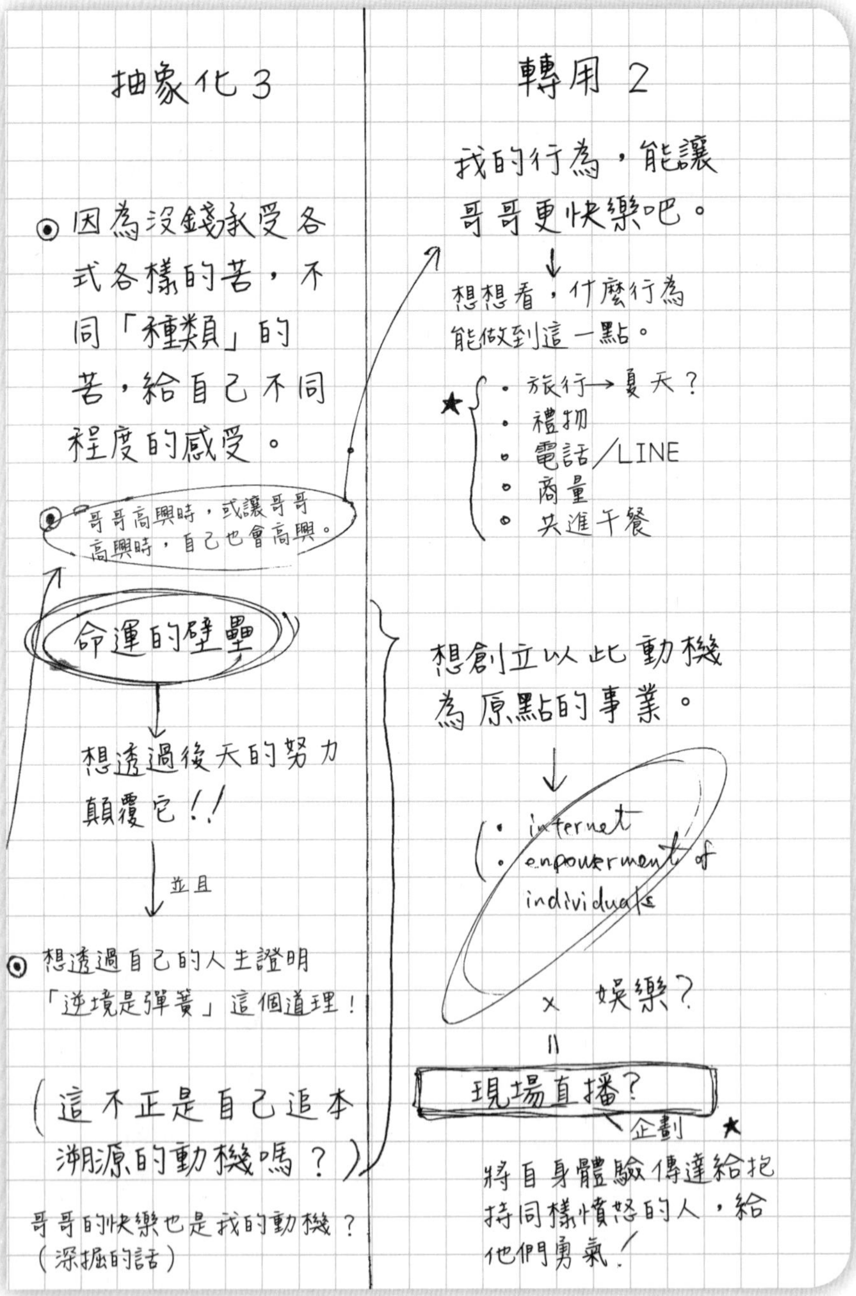
抽象化3
因為沒錢承受各式各樣的苦，不同「種類」的苦，給自己不同程度的感受。
哥哥高興時，或讓哥哥高興時，自己也會高興。
命運的壁壘
想透過後天的努力顛覆它！！
並且
想透過自己的人生證明「逆境是彈簧」這個道理！
（這不正是自己追本溯源的動機嗎？）
哥哥的快樂也是我的動機？（深掘的話）
轉用2
我的行為，能讓哥哥更快樂吧。
想想看，什麼行為能做到這一點。
・旅行→夏天？
・禮物
・電話／LINE
・商量
・共進午餐
想創立以此動機為原點的事業。
・internet
・enpowerment of individuals
× 娛樂？
現場直播？
企劃
將自身體驗傳達給抱持同樣憤怒的人，給他們勇氣！

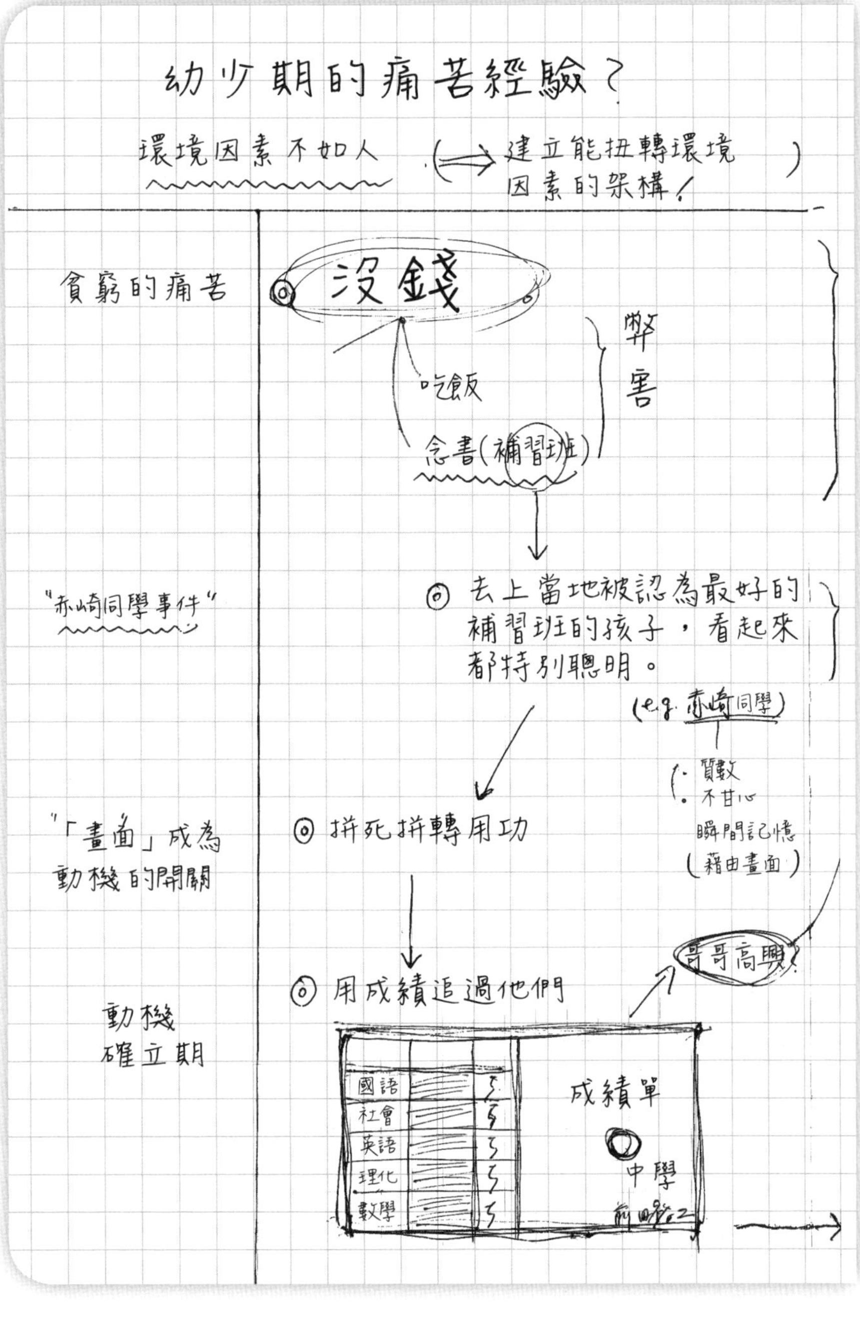

幼少期的痛苦經驗？
環境因素不如人
（⟹ 建立能扭轉環境因素的架構！）
貧窮的痛苦
沒錢
弊害
吃飯
念書（補習班）
"赤崎同學事件"
◎ 去上當地被認為最好的補習班的孩子，看起來都特別聰明。
（e.g. 赤崎同學）
質數
不甘心
瞬間記憶（藉由畫面）
"「畫面」成為動機的開關
◎ 拼死拼轉用功
哥哥高興
◎ 用成績追過他們
動機確立期
國語
社會
英語
理化
數學
成績單
◎ 中學

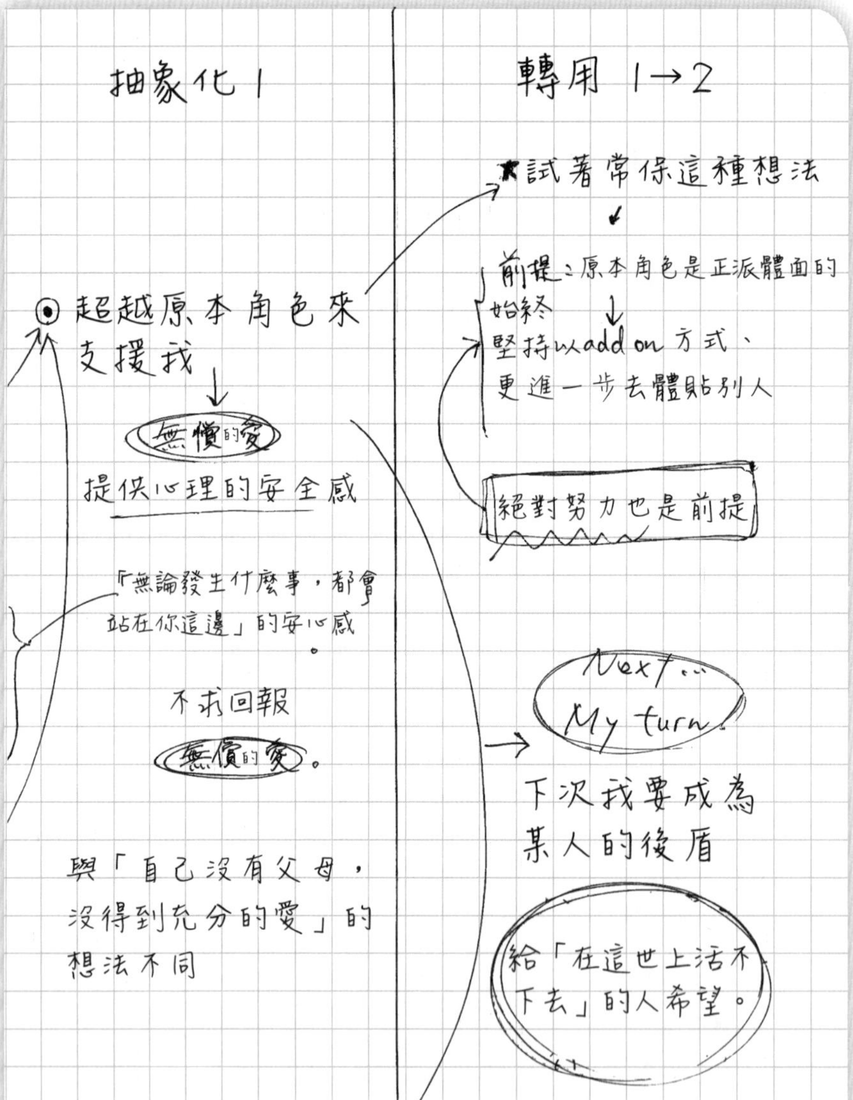
抽象化 1
超越原本角色來
支援我
無償的愛
提供心理的安全感
「無論發生什麼事，都會
站在你這邊」的安心感。
不求回報
無償的愛。
與「自己沒有父母，
沒得到充分的愛」的
想法不同
可以說，無償的愛不
僅彌補我的缺憾，
還成為我最大支柱
轉用 1→2
試著常保這種想法
前提：原本角色是正派體面的
始終
堅持以add on方式、
更進一步去體貼別人
絕對努力也是前提
Next…
My turn
下次我要成為
某人的後盾
給「在這世上活不
下去」的人希望。
理想：無償的利他行為
首先：利己也無妨，
但要增加利他行為！

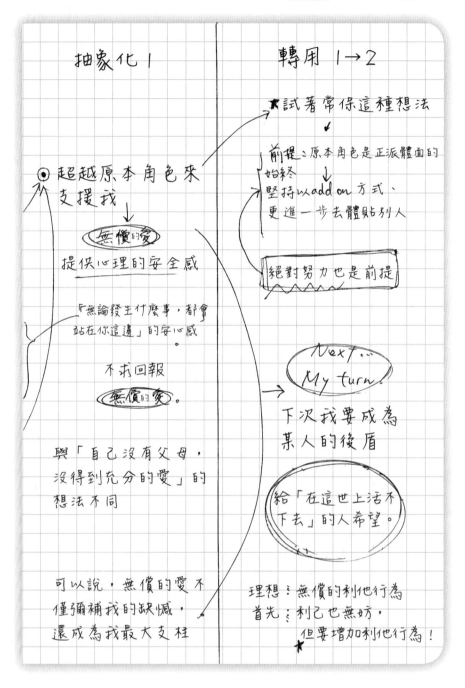

中學時期影響我最大的人是？

送我吉他的親戚哥哥

（讓我開始自彈自唱＋不求回報的愛）

像媽媽一樣的老師	◎中學導師 ・學業以外的Life lesson ・與哥哥的三方面談 →比起讀書，老師更在意生活與戀愛…。
搖滾明星(對我來說)	◎親戚哥哥 ・送我吉他 →教我如何彈吉他 ・偶爾約我吃飯 ・還給我升學的意見 ・穿衣時尚感也很好
"體貼"的老師	◎籃球隊教練 ・煩惱時陪在我身旁。 ・永遠擔心我有沒有吃飯。 ・除了喜歡他教的籃球，更喜歡他認真待人的方式。
知道我的弱點的存在	◎朋友們 ・不管何時去他家，都能讓我借住。 ・能一起沈浸在遊戲與音樂中。 ・做出掉到河裡、騎腳踏車遠行等蠢事。

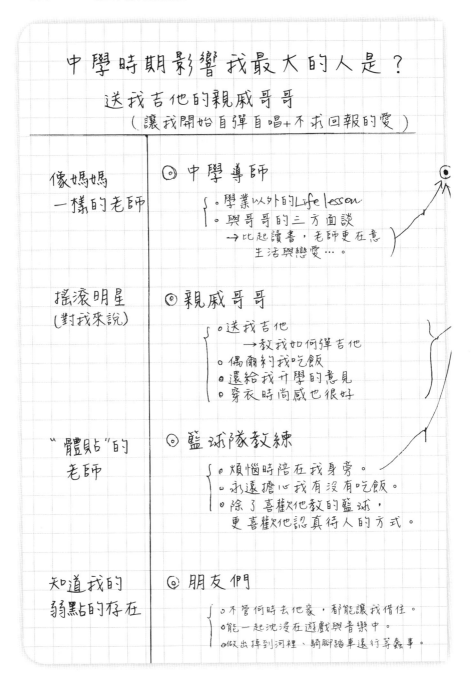

■抽象思考：隨時站在我這邊，給我不求回報的愛。成為強大的後盾。
■轉用：下次輪到我站在別人那邊，給他不求回報的愛。

④高中時期的夢想
■事實：加入聯合國等國際組織。
■抽象思考：強烈希望對抗世界的不合理。
■轉用：透過民間力量、網路力量，解決世界的不合理。

如果連「具體要做什麼」都不寫，人生不會改變

例如，回答「十年後，你會做什麼」這個問題時，如果是創業家，可能會寫下「成為市值一兆日圓的上市公司社長」。然而，「自己經營一兆日圓的企業」抽象度太低，無法看到自己想法的本質，所以請全部歸零，去「想像十年

後的自己」，接下來，再試著把「期望成為一兆日圓企業的經營者」的自己挖掘出來。

循序漸進地想下去，說不定就能與「想要持有一兆日圓企業的一成股票，擁有一千億日圓資產」的自己相遇。或者，說不定你想的是「希望藉由經營一兆日圓企業，被稱許為經營之神」。也說不定會冒出「資金調度規模提高，希望藉由大規模投資，帶給公司更多刺激」的想法。請把這些寫在抽象思考那一欄。

不管面對什麼問題，都要執行抽象思考。每個部分的抽象度是提高還是降低，完全沒關係，大方向是具體回答問題後，抽象思考回答的「事實」，並去想「本質是什麼」、「與其他東西有沒有共通點」，漸漸提升抽象的層級。如果能遵循這樣的步驟就好了。

抽象的層級提升後，接著要面臨的問題是，「今後該怎麼做？」試著把你發現擁有的價值觀，落實在自己的現實狀態上。換言之，抽象思考後，一定會出現與之形影不離的「轉用」。就算有人「不知道自己想做什麼」，重複透過這些步驟，找到自己該做什麼的解答，意外地容易。

「轉用」真的很重要。即使知道「賭上人生，也要在這個領域大展拳腳一番」，但如果不先決定「現在這一瞬間，為了它，具體能做什麼」，就什麼進展也沒有。

即便做到抽象思考這個步驟，如果沒接著「轉用」，夢想無法落實於行動，就只能淪為空想。**面對只有一次的人生，什麼行動也不採取，讓夢想只是夢想，這樣真的令人覺得可惜**。

想想「五分鐘後要做什麼」、「現在能做什麼」吧！

如果要「大展拳腳一番」，就該去想「明天開始要做什麼」。例如，如果你是想讓公司發展成市值一兆日圓的公司經營者，就要具體去想「為了上市，該跟哪個證券公司合作呢？先聽聽我尊敬的上市公司老闆的意見，特別是最近上市的A公司與B公司」等等開始具體的行動。

抵達自己的核心之前，能做的全做盡

如前所述，回答完書末介紹的一千個問題，不，更進一步地，以回答完世上所有相關問題的心情來答題，總之，在自我分析方面，大量答題是很重要的。

如果在途中抵達了自己核心價值的彼岸，完全找到「我這輩子都不會妥協」的人生軸線，我想就可以暫時把自我分析的筆擱置一旁。「雖然每次的角度都稍有不同、程度也稍有差別，但大致都會朝這裡走來」，如果能找到這樣的指引人生方向的羅盤，這件事本身，就是找到了自我。

如果是正在找工作的畢業生閱讀本書，比其他人完成更多題目，就是勝過他人的實例，讓面試官感到「這個自我分析，連枝微末節都分析到了」。大量答題也能增加自信心。曾認真回答過關於自己的一千個問題的人，世上應該寥寥無幾吧，想必會打心底湧出源源不絕的自信，認定「我將不會偏移」、「我將不再迷惘」。因此，真的想在求職期間無往不利的人，最好秉持熱情，挑戰回答書末的一千題問題。

不過，尋找人生軸線，不須做得那麼徹底。如果只是想找出讓人生過得更好的軸線，回答第一階段的一百題就綽綽有餘了。長處與短處、想實現的夢想與願景等等，只要回答這一百個觸及自我分析的核心問題，並做好抽象思考，可能就能找到你的人生軸線。

常常有人說著，「我找不到想做的事……」找我商量，這些人只要捫心自問這一百題，好好回答，全部抽象思考，再進行轉用的話，一定能找到自己打心裡躍躍欲試的東西，或至少能找到這樣東西的重要線索。

確定人生軸線的意義重大。例如，接受工作時，因為知道自己被怎樣的工作環繞是最幸福的，所以快樂度過每一天的機率就會大增。相反的，拒絕工作時，也會充滿自信地說「我不接受這份工作，我是這麼想的……因為有過這樣的經驗」，做出不讓自己後悔的判斷。

當你深深了解自己，面臨所有與自己相關的決策時，就不太可能迷惘。我真心希望遇到本書的各位，一定要以此為目標，那就一定能獲得更高層次的喜悅與幸福。

第四章

用筆記實現夢想

透過「轉化為語言」，讓夢想變成現實

「把夢想寫在紙上，就會變成現實」這句話，我想大家都曾在哪裡聽過吧。它有點類似「吸引力法則」這種精神面的論述，也有科學面的學說支持它——透過書寫，刺激大腦的網狀活化系統（ＲＡＳ）產生反應。我不是腦科學專家，科學證明這件事，就交給別人處理吧。這裡，我想對照自身經驗，告訴大家有兩個理論思考下得到的結果，能證明它的合理。

第一個是，大腦占比。換言之，把夢想寫在紙上的那一刻起，它刻印在潛意識的程度就會變深。寫下的瞬間，大腦受到的刺激，比單純用想的還大得多，所以，藉由寫下來的動作，讓它更容易被記住。當然，轉化為語言本身就有很大的意義，如果想到想做的事的當下，卻不允許拿出紙筆記下來，以數位筆記來書寫也是可以的。不過，為了能好好刻印在大腦，面對類比訊號的文

字，最好能盯著看一會兒，那麼，即便是處理大量資訊的右腦，也容易把它記下來。

夢想在大腦的占比愈高，換言之，思考夢想的時間愈長，就愈會為了實現夢想，把必要因素解構後再行思考，測量現在離夢想多遠，再想盡辦法拉近這段距離，而且，也愈會萌生危機意識，把擋在前面的障礙與課題剷除一空。

當你加深對夢想的思考，能具體把它化為「文字」。光抱持一個輕飄飄、不著邊際的夢，除非運氣非常好，否則夢想是不會自行向你靠近的。藉由轉化為語言、文字的過程，讓抽象的夢想寫出具體文字，接著再試著去抽象思考，把所有與自己夢想相關的文字，依照抽象程度一一抽絲剝繭。透過以上的文字工作，增加思考夢想的時間占有率、大腦占比，夢想就容易變成現實。

這麼問可能很突然，但你想過「為什麼對著流星許願，願望就能實現」

嗎？因為星星大人聽到你許的願望了？恐怕不是。我認為，「看到流星的那一瞬間，能馬上把夢想化為語言說出來，代表你對那個夢想的執念非常深。」然後，對夢想的強烈執念，會讓你的心思一直圍繞著它打轉，片刻不忘。執念愈強，付諸行動的機率就會愈高。唯有行動，才能把你帶到觸手可及夢想的地方。

那麼，該如何模擬「心思一直繞著它打轉」的行為呢？不出所料，還是去增加想起夢想的機會。意思就是把它寫在紙上，放在每天生活動線接觸得到的地方，增加這張紙被看到的頻率，就是增加夢想在大腦中占有率的訣竅。例如，寫在記事本的第一頁，或更絕的是把它貼在廁所裡。也可以把寫了夢想的紙拍照下來，弄成智慧手機的待機畫面。

常有人說「數位筆記永遠消失在黑洞的彼岸」。當然有時搜尋功能能發揮不容小覷的威力，我也經常善用這樣的分類功能，但數位筆記還是有一個缺點——很難有機會不停看到同一則記事。

第二個是，言靈的力量。雖說是言靈，也不是什麼怪力亂神的事。當然，有「對植物噓寒問暖，植物會長得更好」一說（或許道理在於，會噓寒問暖代表非常重視，代表澆水、曬太陽、施肥等照顧工作絕對不馬虎，所以植物當然長得好），有可能言語真的擁有我們無法理解的超自然力量，是我們現在還解釋不了的不可思議事件之一。

我曾有過感嘆「啊，這就是言靈嗎」的經驗。剛剛第一點提到強化自己的潛意識，廣義來說也是言靈，只是我所認為的言靈力量，是透過言語改變他人想法，再以某種形式正向反饋到自己身上。

假設現在有人認真想當個歌手，不把夢想藏在心裡，而是說出來，「我當上歌手後，要用音樂感動更多人」，這麼一來，身旁的人偶然撞見他或她努力的身影，說不定會提出，「有認識的人在唱片公司工作，要不要給公司試聽帶試試？」現今的社群網絡社會（SNS社会），言靈讓機會變得更多更廣。比起沒說出口的想法，說出口的能得到更多支援，這一點非常明顯。像這樣把想法說出來，同伴、有同感者、支持者就非常可能引導你走上你想前往的正確道路。

反之，逆向而行的事也會發生。例如，我之所以想上早稻田大學，都起因於高中時朋友無心的一句話，「裕二，你給我早稻田大的感覺耶，總覺得你的粗鄙作風，跟校風吻合。」（註：早稻田大學學生著裝多較隨性，主張「不重視外表，以內涵決勝負」，故作者朋友有此一說。）當時，我連上大學這件事都沒想過。現在寫這本書的時候回頭一想，原來這句話一直刻印在我的潛意識裡啊！我們下意識脫口而出的話，可能正大大影響著別人的潛意識，換言之，一想到言靈的力量，就覺得最好不要說那些負面的話。儘量多說些正面的、充滿愛的言論，讓與自己相關的人、有緣相遇的人稍微變得幸福一點也好，我衷心希望各位讀者能這麼去想。

「想」與「思」的差別

順帶一提，我不用「思」這個字，而是用「想」，是有道理的。老實說，我就是覺得「想」這個字比較有血有肉，讓我有好感（笑）。而我自己的定義是，思與想，差別在於「對對象想像程度的差異」。「正在想」，代表以更豐富的想像力，想著對象物。

「想」這個字的結構裡，不僅有「目」，也有「木」。用「目」看「木」這個對象，再根據視覺印象，具體把對象描繪出來，這就是「想」。

閉上眼，你能具體描繪出視覺印象嗎？

舉個例子，如果希望「擁有死黨」，腦海能不能浮現跟死黨在一起的場景，就成了關鍵。你是怎樣的人，要跟他或她用怎樣的方式相處，會說些什麼話，這些細節，都必須非常具體，並以影像的方式，呈現在你腦海。

想做到「將想法化為語言」，就必須完全馳騁想像，讓腦海浮現出畫面來。不是只在腦中模糊地想，而是要像眼睛看到具體影像一樣，腦中浮現栩栩如生的畫面。如果真能做到這一點，別人還會反過來問你，「你就真的那麼想要這個？」

孫正義先生的夢想是搭乘時光機，前往十年後的未來，再從那裡回到現在，他口中的未來理想圖是如此栩栩如生，彷彿那樣的未來實際發生在眼前一樣。浮現腦海的清晰程度，要像圖片繪製、照片顯影一般。

為什麼能這麼清晰呢？大概是因為想實現夢想或目標的念頭太過強烈。所以，就會從「思」進化成「想」。

以強烈念頭為基礎，當念頭化為具體語言，支持者就會漸漸增加，就會發生關鍵時間有關鍵人物相助的好事。

我也好幾次在腦中描繪「與想一起工作的人一起工作」的畫面，就像做夢一樣。然後，這些描繪出來的夢，幾乎全都實現了。如果做到這種地步，包含下意識的行為在內，自己所有行為一律都會朝它發展。這麼一來，現實狀況也會自然而然朝它演變而去。

不要若有似無地想，不要逃避，確實讓想法化為語言。然後，想法就會變成清晰可見的畫面，歷歷在目。我認為，這就是能讓夢想變成現實的有效方法。

寫出所有想得到的夢想

剛剛提到了，把夢想化為明確語言，夢想實現的機率就會飛躍提升。接下來，實際把「這輩子想做的事」全部列舉出來吧。這個東西一開始不須給別人看，所以請把心裡想到的，全部寫下來。

寫下來的關鍵是，必須意識到「結束」。如果人生終須一死，這件事非做不可、一定要挑戰看看，以這樣的邏輯，把想做的全都寫出來。常聽人說，擁有生死觀的創業家或商務人士，許多都能做出一番輝煌的成績，我想是因為意識到死亡，才能全心全力活在無可取代的「現在」。把現下產生的熱情，盡情與自己「想做的事」碰撞出火花。

為夢想排序

把夢想全部列舉出來，接著，再將每一個夢想排出優先順序。最好分成S～C四個等級。

「S等級」…不管如何絕對要做

「A等級」…非常強烈地想做

列舉想做的事

想做的事	優先度
公司內提出新提案	A
參加公司外的座談會	B
閱讀一百本商業書	A
開始以網頁設計為副業	S
短期語言留學	A
在亞洲圈旅行	C
去健身房鍛鍊身體	B
沒聚餐的日子自己下廚	C
房間傢俱換新	C
送父母去旅行	B

「B等級」…想做

「C等級」…如果可以，想要試試

最好以這樣的邏輯來區分。比起細分A～C等級，揪出對自己來說是S等級的熾熱夢想，更為重要。綜觀全體，去找出這個「只有這個是我不想妥協」的東西吧！

動機的兩種類型

「想在公司升職」、「想加薪」、「一定要讓公司上市」、「想在度假區無憂無慮地過生活」、「死也要吃好吃的燒肉」等，把夢想一個不漏地列出來，接著再為夢想排序。

商業上，常會均衡考量「重要」與「緊急」兩個面向，再列出優先順序，不過，如果把這套邏輯套在夢想與希望上，夢想往往沒那麼緊急。「如果將來能〇〇就好了」，一般人口中所說的「夢想」，往往都像這樣，沒有期限，而且籠統。

所以，思索夢想的優先順序時，「重要度」成為想當然爾的指標。

那麼，重要度又是怎麼決定的呢？定義重要度之前，大家必須先知道自己的動機類型：是由上往下型（トップダウン型，top down）？還是由下往上型（ボトムアップ型，bottom up）？

第三章提過，要確定自己重要的人生軸線，能做到這一點的人，符合「由上往下型」。例如，確定「成為有錢人是我最重要的價值觀」，就會去營造不讓此觀念動搖的環境，以「由上往下」的型態，專注朝夢想邁進。依循自己的人生軸線，從夢想倒算回來，一一列出現在該完成的任務，再一一完成這些能對夢想有所貢獻的任務。

而「由下往上型」的人，直截了當來說，就是以「自己的興奮期待度」來決定重要度的人。這種人，只要選擇最能讓自己血脈賁張、興奮期待的事情就好。

總歸來說，先認真決定目標、目的，再從結果倒過來決定現在該採取的手段，叫做「由上往下型」；而奔向眼前看起來有趣的事物，決定現在該怎麼行動的，則稱為「由下往上型」。

如果是由上往下型…與羅盤（價值觀軸線）的關聯度，決定了重要度。

如果是由下往上型…是否興奮期待，決定了重要度。

動機的兩種類型

類型	重要度的標準	行為模式	例
由上往下	與羅盤(價值觀軸線)的關聯度	從目標、目的倒算過來	西野亮廣 前田裕二
由下往上	是否興奮期待？	奔向眼前有趣的事物	堀江貴文 箕輪厚介

至於我，基本上屬於先設定好目標的「由上往下型」。

另一方面，我覺得堀江貴文先生或箕輪厚介先生，是屬於「由下往上型」的。

他們倆給我的印象是，假設眼前出現一個智力鐵環，會一邊問「這是什麼啊」一邊拿在手上把玩，自然而然投入其中，這就是「由下往上型」的人的特質。另一方面，若是問說「解開這個之後能幹嘛」，也就是需要明確描繪終點的畫面，動力才會開始湧現，代表你是「由上往下型」的人。

進行自我分析時，會漸漸發現自己屬於哪種類型。由上往下型的人，如果要他每天順其自然地過，他會覺得不充實。相反的，由下往上型的人，要他從目標倒算出所有行動準則，他可能覺得很無趣。重要的是，先了解自己屬於哪個類型、哪種生存方式會讓自己感到快樂吧！

而且，想告訴大家，其實兩者之間還存在著混合型。

舉例來說，原本擁有由下往上型個性的西野亮廣先生，因為下定決心要「打倒迪士尼」，意思就是說，他稍微要從「由下往上型」向「由上往下型」去靠攏。為了實現打倒迪士尼這個偉大夢想，反向計算須要解決哪些課題，擬好策略，朝夢想邁進。

其實，我也是這樣的。任職UBS證券時期與初創SHOWROOM時期，我完全是個「由上往下型」的人。從目標倒算出手段，列出優先順序，並對目標貢獻度低的事物進行切割。不重要的活動或朋友聚會，狠下心來全部拒絕。要求每個任務必須具體到「幾年後營業額成長到〇」的程度，看起來無法與銷售數字連結的事物，全都割捨不要。

只不過，我覺得「類型」會隨著時代或環境的改變而改變，像最近，稍微出現變化。時至今日，由上往下型還是符合大多數人的價值觀，其基本的樣貌還是，快樂大步地朝目標邁進。

只是，關係不錯的朋友們，愈來愈多屬於由下往上型，我正被他們拖向另一個陣營，從好的角度來看的話。

我變得會像反射動作般去做自己熱衷的事、讓自己快樂的事。這算是向崛江貴文先生所著的《多動力就是你的富能力》致敬嗎？他提倡「依循快樂順序」的生存方式。以前的我，快不快樂不打緊，對想達成的目標能做出多少貢獻才重要，並以此列出優先順序。不過漸漸地，我優先順序的指標，出現了一點變化。

為什麼我會向「由下往上型」靠攏呢？因為「由下往上型」更能因應社會變化，引起多數人共鳴，吸引更多支持者，讓夢想更容易實現。相較於錢，更重視心思與共鳴這一類存在於人的內面、內在的價值，視之為另一種價值經濟，而這樣的意識，正不斷地抬頭。只知冷漠算計如何達到目地，不僅缺乏人情味，也很難凝聚共鳴。單憑一己之力無法打贏勝仗，這道理，我有痛切體認。能集結夥伴一起打仗，意味著當自己朝羅盤指引的方向前進時，是興奮期待、樂在其中的。

先了解自己屬於哪種類型，以此為基礎規畫人生，不過，毋須把自己的一生囚禁在這個類型之中。

特別是當今這個連五年後、十年後的樣貌也完全不可預測的年代，原本是由上往下型的人，也可能有必要戰略式地熱衷投入眼前事物。

由上往下與由下往上。計畫與熱衷。同時兼具兩方的特質，說不定就是捉住夢想勝算的祕訣。

細分每個該採取的行動

當你把每個夢想依重要度排出優先順序，想要確實實現被定義為S等級的夢想，接下來必須去「細分每個該採取的行動」。仔細分析必要因素，再把自己現在具體該採取的行動寫下來，然後好好把衍生出來的細部任務，一一填入時間排程，轉為實際行動。如果能做到這一點，就能真的一步步朝夢想走近。

經由這項工程，夢想不再有模糊空間，也不再有逃避機會。正面迎擊夢想，讓自己不再有藉口說不行。你不再抱怨「這麼努力卻實現不了夢想」，而是發覺到「沒把該做的事情化為具體，夢想才無法實現」。這個轉變是很重要的。

如果有人覺得這項工程做起來很痛苦，那是很正常的。目前為止所敘述的做法，適合那些先設定目標，再從目標反推哪些手段能達成目標，善於此道的「由上往下型」的人。反之，總覺得先決定目標很無趣，有被束縛的感覺，覺得這樣很痛苦的人，會投身於眼前令他快樂的事，因沉迷、狂熱其中而做出一些成績，這樣的人，可能就適合「由下往上型」的生活方式。注意到兩者之間的差異，也是有價值的。意思就是，不管怎樣，先試著條列出夢想吧。

順帶一提，仔細分析夢想的過程中，試著環顧周圍有沒有「已經實現與自己相近夢想的人」、「跟自己程度相當，已經做出一番成績的人」，從這些人身上會讓你學到更多，大家不妨試試。找到這樣的人，以他為目標，把他「成功前做過的事」全都列出來，找出其中值得參考的部分，試著模仿也無妨。

有人可能會問，羅列夢想的過程中，如果完全找不到想做的事，該怎麼辦？這個心得本身也是有價值的。找不到也沒關係。承認「到現在思考了這麼多，真的還是找不到想做的事」這樣的事實，也是很重要的。因為自己只是還沒遇到想做的事，所以可以採取別種方式，例如「接觸更多的事物、經驗，認識更多的人，聽聽他們怎麼說」。

另外，有人可能會覺得為夢想列出優先順序很難。當你開始想「對自己來說，什麼才稱得上是S等級」，意外地會感到頗為棘手。不過請不要擔心，它的解決方式也是「重新回到出發點」。假若無法胸有成竹地說「我找到S等級的夢想了」，認清這個事實，之後大腦就會一直繞著「找尋S等級夢想」打轉。這麼一來，比起沒認清這個事實，找到S等級夢想的機率變得更大了，不是嗎？

如果冒出一個以上的S等級夢想，又該怎麼辦？

有兩種方式解決。

一個是「合併（合而為一）」。也就是，檢討能不能把一個以上的夢想合而為一。令人意外的，往往看似不相干的夢想，也能融入進同一個故事大綱。舉例來說，如果同時擁有「支援雇用殘障人士」與「擁有一億日圓以上資產」的夢想。乍看之下兩者毫不相干，但創立能雇用殘障人士的事業，好好經營並提高營收，讓自己的資產在經營公司的同時，達到目標一億日圓，不就皆大歡喜了嗎！像這樣，仔細一想，夢想之間彼此相關的例子，還真不少。能實現愈多（S等級）夢想的人生，應該是愈好的，所以請時時探究合併夢想的可能吧。

另一個是「選擇與集中」。當想盡辦法也無法把夢想合併，就只能「選擇」其中一個了。例如，現在河裡出現一位拿著金斧頭與銀斧頭的河神，告訴你「只能給你其中一把」，你要選擇哪一把呢？就好像，現在有夢想A與夢想B快要從懸崖邊往下掉了，自己要伸手拉住哪一個呢？拉住其中一個不往下掉，就勢必會讓另一個往下掉，而你，究竟要救哪一個？也就是說，如果只能實現其中一個夢想，該放棄什麼？要選擇什麼？這是為了實現夢想，不得不做的決斷。

設定目標的有效指標「SMART」

這裡想補充的是，有容易實現的夢想，也有不容易實現的。當你設定夢想，也就是設定目標時，有個重要的確認機制——知名的「SMART」架構。當目標符合這個指標，「實現」的可能就更高了。

容我逐一來說明吧！

第一個字母「S」，是「Specific」的縮寫，代表「具體」。具體的重要截至目前為止提過無數次了，這裡就割愛不說了。

第二個字母「M」，是「Measurable」的縮寫，代表「可測量」。量化目標，讓目標處於可測量的狀態，行動就容易化為具體，夢想實現的機率就會大大提升。這層意義，與第一個「S」的觀點，有異曲同工之妙。

第三個是「Achievable」的縮寫，代表「可達成」。

舉例來說，如果下屬設定了無法達成的目標，上司應該會很困擾吧。「明年要讓營業額達到一百倍」，雖然勇氣可嘉，但絕對無法達成。如果是「成長一點五倍」說不定還能達成。不過，現在是要你描繪夢想，所以不用特別在意夢想是否可達成。最好暫時摒除能不能達成的成見，因為我們的目的是去找出內心真正渴望的夢，所以忘了「A」指標，也是沒關係的。

第四個字母「R」，是「Related」的縮寫，代表「關聯」。

你的夢想與工作上自己服務的單位，或團隊該解決的課題有關聯嗎？與自己人生的羅盤，或價值觀的軸線有關聯嗎？即便實現了與自己幸福軸線毫無瓜葛的夢想，也不會變得幸福。意思就是，當大家試著列出會讓自己興奮期待的夢想，這一瞬間，應該就能剔除掉那些看似重要（卻無關聯）的夢想。因此，「R」也是不須那麼在意的指標。

第五個字母「T」，是「Time」的縮寫，代表「時間制約」。這個指標非常重要。一旦出現「截至什麼時候」、「什麼時候去做」等時間制約字眼，執行時間表就成形了。例如，「讓營業額成長一點五倍」的目標看似可以達成，但如果是一百年後才達成，一點意義也沒有。把它定義在「一年後」，這個目標才開始變得有意義。

「夢想加上日期」的成功法則，我想大家常常聽說。GMO網路集團（GMO Internet Group）的熊谷正壽先生曾說過「在記事本寫下『三十五歲股票上市』，每天翻看，振奮士氣」。結果呢，奇蹟般地，在他三十五歲又一個月的時候，公司股票真的上市了。雖然有很多因素影響著這個結果，但一開始好好設下時間制約這件事，發揮了不可測的力量。

換言之，SMART這個目標設定架構，應用在「夢想」設定時，「S」、「M」與「T」指標尤其重要。夢想必須是具體的、可測量的、設好時間制約的。如此，實現夢想的機率就會大幅提升。

世上真的有天才。當他們沉迷於某件事，回過神來，才發現已經抵達別人絕對抵達不了的高度。他們或許不用仰賴此架構，也能漸漸實現夢想。

遺憾的是，大部分的人都不是天才。我想大家也不要因此悲觀。正因為有不是天才的自知之明，透過天才們做不到的科學方法，達到天才們達到的同樣結果。是不是愈想愈讓你躍躍欲試呢？

說故事時的三大重點

當你設定好夢想，接下來就要去思考，該如何把它傳遞給周圍的人知道。去認識、說出自己的人生軸線，以及它所指引出的夢想，以故事的方式說給別人聽，那麼，你的夢想啦啦隊就會隨之出現。支持者愈多，夢想實現的機率愈高。所以這裡我想告訴大家，關於說故事的方法，有一些有效的提案技巧。

當我在說故事時，會特別注意到以下三大重點。

第一點，盡可能說出「具體」的情節。說話時，讓專有名詞與會話內容交叉出現，就會使聽眾腦海浮現栩栩如生的畫面。愈具體的資訊，愈會被記住。

第二點，不要害怕，盡情善用「停頓」。

停頓非常重要。小泉進次郎先生與前美國總統歐巴馬、Japanet Takata公司的高田明等人，都擁有絕佳的演說能力，巧妙掌握了停頓技巧。在傳達重要訊息前，先提問，給現場五秒、十秒的反應時間，這段空白，甚至會給聽眾一種「接下來忘記要說什麼了嗎」的錯覺。藉由這段適度的留白，讓聽眾去深思，吸引聽眾注意。我想，再也沒有任何工具，能發揮比「停頓」更大的威力了吧。

第三點，也與「停頓」有關，就是不要單方面自顧自地說，而是儘量做到雙向、互動的溝通。雖說互動，也無法做到跟眼前大批群眾一對一的互動。此時該做的，是「內心的互動」。例如，問大家「知道〇〇嗎？」後，稍微留點時間給大家。讓聽眾利用這段時間，有機會去想「什麼？不知道耶」，或是「這個我知道」。

雖然這是間接的，也一定會引起某種程度的互動。當提案變成雙向互動，聽眾與提案者之間，就會產生一層人情羈絆。

先提示劇情的「降落地」

提及具體情節時，務必注意——先給大家一點「最終要傳達什麼」的提示。

大部分聽眾聽到你開始說故事，會下意識地想「這故事，會在哪裡結束」、「要開始說些什麼了嗎」、「哪裡才是終點呀」。不要讓聽眾覺得不安。

在看得到降落地的狀態下，說具體的情節，才能大大減輕聽眾的壓力。

小泉進次郎曾這麼說過，

「我強烈感受到大眾需要的領導人模樣，正在大幅改變。總而言之，現代人追求的不是坂本龍馬型的領導人，而是開始去追求吉田松陰型的領導人。

當年，黑船駛向日本時，有兩位領導人採取了截然不同的行動，他們就是坂本龍馬與吉田松陰。

坂本龍馬說，『黑船對日本來說是威脅，我們應該全力迎戰，大家一起來想想打倒黑船的對策吧！』要大家奮起對抗。不採奇招，直接正面突破，在領導統御來說，就是所謂的「正攻法」。

另一邊的吉田松陰又是怎麼做的呢？雖知被政府發現可能會被殺頭，但他還是甘冒風險，乘著小船朝黑船駛近，並停靠其旁，然後，踏上黑船的甲板，前往美國留學，藉此徹底吸收了外國的文明，身段非常柔軟。

這個時代需要的不是『只知硬碰硬的領導人』，而是『輕巧避開對方攻擊力度，或可以說，吸收對方攻擊力度的領導人』。以軟硬來分，其手段偏軟。透過柔軟的吸收力，凌駕於對方之上的領導人。

他不會想，如果敵國擁有武力，我們也要擁有能與之對抗的武力。他會好好分析敵情，冷靜思考應該從敵方那裡吸收什麼過來？敵方缺乏的我方的強項，又是什麼？理解這些問題後，擬定對策，並馬上化為行動，我想這樣身段柔軟的領導人，才是現在大家所追求的。」

語畢，全場響起如雷掌聲。即便內容稍微有點長，聽眾還是安心聽到最後，大概是因為一開始就提示故事會在哪一帶降落吧。

一開始就告訴聽眾上菜內容，「日本人追求的領導人模樣正在改變」、「透過日本歷史上兩位截然不同的領導人來說明」，讓聽眾掌握到故事情節大致會在落在哪一帶，因此才能放心聽下去。

所以，大家在提案時，一開始先提示較抽象度命題，最好先告訴聽眾「現在開始，透過這個故事，我想傳達某某重點」（當然刻意不提示降落點，讓聽眾產生輕微不安，最後聽完再回想情節發展，反而能給聽眾更大的感動，這樣高超的提案技巧也是存在的，但請大家先從這裡說的『先提示降落點』的方法開始試試）。

與「自己」有約

為了實現夢想，騰出時間與「雖不緊急但很重要的事情」面對面，是很重要的。許多人每天被「緊急」的事情追著跑，很難為了夢想再找出什麼時間來。

我為了實現夢想，從以前到現在都會維持某種做法。不是特別嶄新的做法，那就是，把自己跟自己的約會，清楚排在行程表裡。為了「雖不緊急但很重要的事情」與自己有約，只要當下沒有非做不可的事，就一定會如期舉行。就算某人可能會約我見面，我還是以與自己的約會為優先。

這個時間可以是星期六、日，也可以是睡前。好好騰出自問自答的時間、面對夢想的時間，履行自己對自己的約會，是非常重要的。

我的狀況是，平常日一直到晚上六點左右，行程都被工作塞滿，幾乎插不進與自己的約會。所以，我會利用睡前一個小時的時光，跟外界完全斷了聯絡，拿來進行「與自己的約會」。這時，我一定會讀本書，或是把一天的心得抽象思考、整理成日記風格，或是反躬自省，盡做這些雖不緊急、但對自己來說很重要的例行事項。因為我知道，想有所成長，沒有比「習慣」更厲害的武器。

透過「人生曲線」，水平來看人生

對於看到附錄的自我分析一千題，會說「這也太體育系了吧，做起來真痛苦」的人；對於想以更寬闊的視野俯瞰人生，藉此獲得新發現的人，我想向你們介紹一個稍微簡化的自我分析架構——稱之為「人生曲線」。

所謂「人生曲線」，橫軸是自己的年齡、縱軸是情緒的高低，經過時間的推移，表現人生幸福程度的高低起伏的曲線。請參照頁214和頁215。

出生時的情緒為「0」，情緒高於它時，曲線向上；情緒低於它時，曲線向下。請一邊回顧自己的人生，一邊試著畫畫看。

此圖表的優點是，不是以垂直的方式深探自己的人生，而是以水平的方式來俯瞰人生。以微觀的角度切入自我分析，容易不自覺陷入垂直思考。就像被問到「大學時期，做過什麼努力」，會不自覺針對自己人生的「某一點」，進行深度挖掘。當然，深度挖掘是很重要的，就像本書前面提過的一樣。只是，如果想更全面地了解自己的本質，稍微拉遠一點來看，把眼光放在整體的過程，更為重要。

可能有人小時候非常喜歡自己動手做東西，那段時光，每天都過得很快樂，卻在不知不覺中隨波逐流找工作，現在做著一點也激不起熱情的會計工作。像這種事，意外地，如果不看整個過程，就無法看清事情的癥結。

不是用縱軸來看自己的人生，而是用橫軸，並且儘量掌握「寬度」。然後，就能看到自己的價值觀，與所定義的幸福。自我分析時，把「垂直方向深掘故事情節與價值觀」乘以「水平方向掌握整體感」，在縱與橫的交織下，有效發現更立體的自己。

劃分人生階段，加上關鍵字

製作人生曲線時，試著把自己的人生劃分成幾個階段。例如「認真唸書時期」、「埋首工作時期」、「就是愛玩時期」，試著把人生分成幾塊。

而這裡有一個重點，就是儘量著眼於「中學之前時期」，愈詳細描述愈好。因為長大後也不會改變的人格特質，往往沉睡在這個階段。幼少期、五～六歲時期，身體感受到的感動以及情感的流動，很可能到現在還影響著我們的人格特質。有人的人生重要轉捩點或是初體驗就在最近發生；但更多人是發生在幼少期。包含自己的幼少期在內，請去找出「自己為什麼會感到幸福快樂、什麼時候會感到幸福快樂」的答案吧。

習慣這樣的劃分後，再為每個階段，加註有自己風格的關鍵字。也就是，為人生的事件或風波加上「標語」。「考試通過」只是單純的事實，這個事實帶給你怎樣的情緒（為什麼會產生這樣的情緒），把這樣的情感因素考慮進來，再為它命名。試著透過代表情緒的縱軸，去思索「為什麼曲線會在這裡往上走」，如此一來，像「考試通過」的字眼，就會變成「努力獲得回報的瞬間」這個標語了。持續這項工作，逐一去把「自己是誰」、「什麼時候會發奮圖強」、「什麼時候會覺得快樂」等重點化為語言。

舉例來說，假如通過考試「前」的人生曲線來到最高峰。冷靜思考這個事實，說不定會發現，原來自己屬於「找到一座山，奮力往山頂爬，攻頂成功的瞬間，看到美麗的景色感到非常幸福，但達到目的後又開始無聊了起來」類型的人。可能「站在山頂不斷欣賞美麗景色的人生」，並不那麼讓你感到快樂。

又或是，有些中堅員工剛進公司時，人生曲線處於高峰，現在卻降了下來。面對某個挑戰去解決它、完成它，才會真的感到幸福，但現在每天只被要求處理例行工作，幸福感當然下降。不過在大企業任職，沒那麼多積極挑戰的機會，如果你的人生曲線顯示，擁有強烈的「挑戰」價值觀，維持現狀待在大企業，不會讓你覺得幸福。如果你是這樣的人，以人生曲線為契機，是該思索轉換工作跑道了。把劍拿好，說不定現在就是打場漂亮的仗的時候。

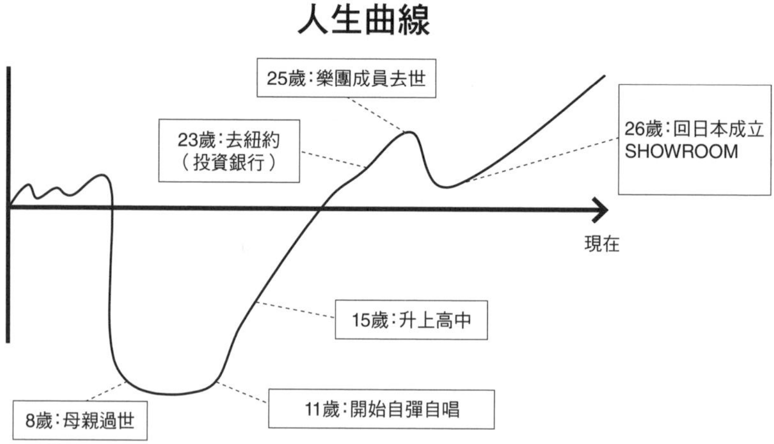

「轉折點」藏著幸福的泉源

這個圖表裡，最該注意的地方，就是「轉折點」。

為什麼曲線會在這裡往上走？為什麼會在那裡往下降？如果能找到讓自己情緒大幅波動的東西，就等於找到自己「生存的意義」與「幸福的泉源」。

為什麼那裡會有感情的波動？一樣可以透過Why公式，用「為什麼」去深掘背後原因，就容易進行抽象思考了。

最後，讓我簡單整理一下人生曲線的畫法，給想著「現在就來畫畫看」的你吧！

①畫出橫軸為年齡、縱軸為情緒的圖表。
②出生時的情緒設為「0」，畫出從以前到現在的情緒起伏狀況。
③把過往人生分成幾個階段。
④寫出每個階段發生的事件或情節。
⑤萃取出標語，讓自己的故事說起來更迷人。

不管是誰，都有自己的「故事」

繪製完人生曲線後，能對外人道的屬於自己的故事就會清楚浮現。重新審視「當時的我，心情是那樣波動著的」，把隱藏在背後的情感寫出來，再把它抽象思考，如此一來，真的就能寫出強而有力的故事內容。

人生如戲。沒有故事的人生是不存在的。不管是誰，絕對都有某個片段的人生，會讓他人發出「真的嗎！」的驚嘆並產生好奇。這個精采片段究竟在沉睡在哪裡，我懇切期盼大家一定要找出來，並且好好說給別人聽。

處於現今網路時代，擁有想向周圍散布的故事或劇情，就像擁有強大武器一樣。

當我對大家解釋SHOWROOM事業時，透過表象的說明「這是一個任何人都能當直播主、都能送禮物給直播主的服務……」恐怕只會給人不痛不癢的感覺，聽完什麼也不記得。

所以我改以這樣解釋，「其實，當我還是小學生，就在街頭自彈自唱了，當時真的有人把打賞金投進我的吉他殼裡。把這個『自彈自唱賺到錢』的類比訊號型體驗，置換成數位訊號，就誕生出SHOWROOM事業。」像這樣，把故事摻雜在談話之中，對方就容易產生興趣。

話題說不定就會從「什麼？小學時期就開始自彈自唱？」延展開來。然後，聽得如癡如醉的聽眾，又會忍不住把故事告訴其他人。

透過自我分析一千題以及人生曲線，去認識自己，去把被稱為幸福泉源的「人生羅盤」弄到手。然後，再以動人的語言詮釋它，把故事昇華成讓聽眾感動的劇情。擅長抽象思考的各位，如果還兼具說故事的能力，簡直是攻無不克、所向披靡了。

想要實現夢想，絕對欠缺不了支持者的幫助。支持者愈多，當然比一個人單打獨鬥時愈可能達成夢想。比什麼都重要的是，把愈多人「攪和」進來，自己就愈會給自己「不做不行」的壓力。讓我們變得能說出動人故事，並營造一個「非得實現夢想不可」的環境吧！

第五章

筆記是一種生活方式

筆記的本質不是在「知道怎麼做」，而是一種「態度」

到目前為止，關於①筆記的價值和具體的筆記術、②身為筆記重要核心的「抽象思考」方法、③運用抽象思考的技巧進行自我分析的方法，還有④如何實現透過自我分析發現的夢想這四個部分，雖然已經用四個章節進行說明，在有耐心讀到這個部分的讀者之中，相信也會有人認為「雖然書上講的內容都能理解，卻無法做到這種程度」。即使是這樣，也沒有太大的問題。**因為既然要做筆記，最重要的事非常簡單也別無他法，就是「實際去做」。在本書一開始也有提到，做筆記的重點，不是在「知道怎麼做」，而是一種「態度」。首先要先準備好的是①有利於做筆記的環境（也就是備好喜歡的筆記本、記事本和筆），②竭盡所能地做筆記。那就讓我們從這裡開始吧！**

筆記的關鍵在於動筆或不動筆。這已經可以說不是技巧方面的問題，而是個人花了多少努力來面對自我人生的「生活方式」問題。

之前，崛江貴文先生曾經給我看他手機裡的筆記ＡＰＰ，裡面用條列式的方法記載了關於事業上數量驚人的想法。在崛江先生的筆記中沒有運用什麼關於筆記的規則，只是運用簡單的「Ａ×Ｂ」方式，將一個想法乘上另一種靈感，便成為一種新的事業模式。

也許有些商業人士會認為「什麼事業靈感啊？這種東西原本就想不出來……」即使如此，在剛開始時也不須太逼迫自己。當我再仔細閱讀崛江先生的筆記後發現，裡面有一條「淚光閃閃－3」的紀錄。這個很可能是崛江先生在唱卡拉ＯＫ時，發現自己唱「淚光閃閃」這首歌時最適合的音高，因而做了紀錄。這樣單純的紀錄，之後沒有任何相關說明也無妨，各位一開始也可以先用這種方式。因為大腦中如果還有空間存放這種小事情，應該更積極地將大腦使用在記憶其他更有意義的事情或思考創新想法上。或是在現在的時間點上，還無法得知這項筆記內容在將來會與哪個創新思考產生連結，所以事先盡其所能輸入大量素材。這種不厭其煩的態度，會與輸入有價值的資訊、抽象思考、轉用之間產生密切的關係。

用筆記減少「機會損失」

目前在社會上有以下兩種說法，一是認為「因為沒做筆記而忘記的事，就代表不重要，所以不須記住」、再者是「最好對記憶進行篩選」。

我在目前的時間點上對以上兩項說法感到懷疑。

如果是從事完全以創造力一分勝負、工作內容大多偏向於使用右腦的人不在此限，反而可能會因為遺忘一些事物規範而昇華自己的感性。這種想法是基於以下概念——「正因為自己記住的事物是應該展現的思考架構，經由大腦的遺忘機制事先進行篩選過濾，是精練自我的表現。」

不過，如果在工作上需要左腦和右腦兩者，持續進行解決問題和產出創造力與智慧，筆記便是一個無法避免且具有魔力的關鍵工具。

和創新思考有關的資訊在日常生活中俯拾即是。前面也有稍微提到過「在將來，不知道哪些資訊會變得重要」，沒有真的到未來也無法進行判斷。今天並無法得知「什麼資訊在明天會顯得重要」。

在今天這個時間點上，舉例來說，偶然看到的街道模樣、同事不經意的一句話或與客戶的閒聊等等，可能要一年之後，才會發現在以上這些事物之中隱藏了重要的訊息。

所以，對那些事前沒有先將這些細節記錄下來，完全依靠記憶的人，當然無法回想起從前的事物，也沒辦法將從前發生的點滴與新的靈感產生連結。原本大腦中有劃分出「事先記憶」的空間，沒有使用的話，也要支付相對的機會成本。

筆記是一種可以減少「機會損失」的工具。要善用此項工具的祕訣即在於張開身上所有的毛孔，像海綿一樣保持著吸收所有資訊的積極態度。也就是說，重點在於保持「持續做筆記的態度」。

儘早將做筆記從「努力」轉變成「習慣」

要怎樣才能持續不斷地做筆記呢？

或許，筆記不是一種能馬上看到結果的事物，**不會在一朝一夕中展現它的成效，卻是一種在不可預知的將來確實會成為自己重要財產的東西**。也因此，可能會有人很快地對做筆記感到不耐煩而放棄。

既然如此，對我這個原本極為普通的一般人而言，為什麼可以如此瘋狂地記下這麼大量的筆記呢？因為記筆記對我而言，已經不是要「努力」才能達成的事，而是一種習慣。

也許有和尚從早到晚不停唸著經文、也許有棒球選手每天持續花數小時練習揮棒、或許也會有一天花五、六個小時跑步的馬拉松選手。在旁觀者眼裡，或許都覺得這些人十分努力專注於練習或潛心修行，但是在他（她）們心裡都會覺得「只要養成了習慣」，並不會覺得是多大的負擔。一旦將某件事養成了習慣，「沒有做反而會覺得渾身不自在」。因此，有「從努力變成習慣」這樣的一個概念非常重要。

為了養成習慣，在剛起步的階段也許須投注大量的努力。假如養成了這項習慣，做這件事時便會覺得理所當然，也就不須特別努力去執行。

「刷牙」是一件須特別努力去做的事嗎？應該沒有人是這樣的吧？早上起床後，到洗手台前面便會不由自主地用手拿起牙刷，等到自己發現時應該都已經開始刷牙。

對我來說，做筆記已經變得和刷牙一樣。喔！不！已經像是人體在進行空氣的吸吐一般，以非常自然的感覺做著筆記。

「為什麼那個招牌要用紅底白字的設計呢」、「這則廣告為什麼選擇這樣的表現方式」等等，許多人根本不會發現的小事，我都持續不斷記錄在筆記本上。當一天結束時，我在手機裡的筆記本上滑，裡面筆記的份量好像再怎麼滑也滑不到盡頭一樣多到令人驚訝。知道這種情形的朋友會跟我說「你實在非常努力耶」，但其實自己並沒有特別想要這麼做，都是在發現後，才已經經過這樣的思考程序。如果能達到這種「習慣的境界」，那才是真正的強者。

養成記筆記習慣的祕訣

為了要讓「努力」變成「習慣」，首先最重要的一件事就是要買一本能讓自己光拿著就覺得興致高昂且心情愉快的筆記本。雖然可能有些人會認為這實在是一件小事，但事先準備好這些讓做筆記的自己感到喜愛的文具用品，維持動力也佔有重要的地位。我個人最喜歡的記事本品牌是義大利Moleskine的硬殼筆記本，已經用了超過十年以上。在剛進入社會時，就有前輩建議我「購買能讓自己使用時感到興致高昂的文具，因為再也沒有一項投資的ＣＰ值會如此之高」，從那時候開始，就一直使用該品牌的記事本。

同時也是為了不要讓做筆記成為一種壓力，保持著「寫錯了也無所謂」的輕鬆心情也很重要。雖然我自己是使用原子筆，但如果有人覺得用原子筆書寫寫錯的話會很麻煩，也可以改用鉛筆或自動鉛筆記錄。關於筆記本的使用方法，各位也不要給自己壓力，覺得「一定得這樣寫才行」。甚至沒有筆記本也沒有什麼關係，也可以用紙巾或廣告傳單的空白處快速筆記。**首要重點就是試著毫無限制的自由書寫**。能讓自己覺得寫錯了也沒關係、自己的做法是正確的、真的開始做筆記才是重點。儘量放鬆自己，不要太過緊張，也是習慣做筆記的祕訣。

另外一項祕訣雖然不是很具體，但關鍵在於「慢慢累積成功的經驗」，即使是很小的成果也無妨。例如筆記術受人稱讚，或是有人驚訝地對你說，「你居然做那麼多筆記啊！」不管是什麼都可以。像這些略不起眼的小小成功經驗，最後都會讓自己持續努力，進而將筆記變成自我習慣。

一位知名電影製作人的女兒，因為希望自己將來可以當一位知名的劇作家，所以一直保持看完電影或連續劇後寫下感想的習慣。在與父親參加同事間的聚餐時，也會隨身帶著那本筆記本翻閱。

某一天，有位知名的劇作家剛好也一起參加聚會，不經意看到這本筆記問道，「這是什麼啊？」女孩回答，「我以後想要當劇作家，所以我在這本筆記本裡寫下自己看完電影和連續劇後的感想。」這位知名劇作家便稱讚道，「你真的很棒！」

這對這個女生而言，是件令人興奮的成功體驗，應該也會大大提升她記錄自己感想的動力。

就像上面提到的，**為了要養成習慣，必須正確且客觀地面對自己感到愉悅的重點原因**，然後，**即使很小也無所謂，累積讓自己具有成就感的成功經驗**。每一個人的重點都會不一樣，要自己善加利用。**為了讓自己能心情愉快地進行，就要好好規畫能激發自己動機的誘因**。

很可能我在許多人的心裡都已經有「筆記狂人」的印象，所以不管在什麼地方或自己喜歡、不喜歡做筆記，都已經是不得不做筆記的狀態。前陣子，我與某間公司的社長吃飯，社長對我說道，「欸？你不做筆記嗎？你可以像平常一樣做筆記沒有關係！」對方既然都已經這樣說了，即使不想做筆記，也只好繼續寫下去（笑）。也就是說，以好的一面來講，可以說是變成「習慣的奴隸」。

筆記就像是一種咒語。不須太深入思考，就像是一種行為模式，只要每天持續固定節奏，自己的意識及想法便會自然地隨之行動。這樣一來，自信也會隨之產生。所以不管如何，就像在唸咒語一樣，盡己所能記錄下所有資訊。如果能把做筆記變成一種行為模式深植體內，即使不特別在意筆記的功用，效果也會自然顯現，也因此可見到大量練習所帶來的效果。

在淋浴時浮現靈感的原因

如果能將筆記變成習慣，下一步要做的事，就是將「製造出創意靈感」也變成一種習慣，這也就是能產出智慧的筆記原本的目的。因此，在第二章中也曾向各位提到，只要將抽象思考變成一種習慣即可，但是還有更基本而重要的原因，那就是大腦內部吸收資訊與釋放資訊的比例問題。

關於產生創新想法，乍見之下各位會認為資訊的輸入比較重要。如果有人對自己說道「開發新創事業」，大腦中便會先開始蒐集社會上經營成功的新創企業經營模式或資訊。當然，這種行為本身並沒有壞處，是在蒐集製造靈感的種子，但有時候可以適時把自己放在無法吸收任何資訊的「零資訊環境」中，這樣一來反而容易找出靈感。

也就是說，大腦內部吸收資訊和輸出資訊的比例，在偏向輸出資訊的一方時，就是產生靈感的時候。這到底是什麼意思呢？請各位想像一下在浴室裡洗澡時的情形。在沒有帶手機進去的情況下，大腦內可以說只能一〇〇%進行資訊的輸出。在浴室裡，幾乎沒有任何資訊可以輸入大腦，因此大腦便會自然產出，也就是進行活化。

時常有人提到在淋浴時，或是在就寢前比較容產生靈感。這個原因在於「強迫大腦內資訊輸出和輸入的比例，要偏向輸出的一方」。當大腦在接收資訊時，會分散一定比例的思考和注意力，所以很難集中在輸出資訊上。

自己的「人生贏面」有幾成？

現在的你，做什麼事的時候是最快樂的呢？

現在的你，是以什麼樣的目標生活在這個世界上？

在二〇一七年時出版的拙作中，將一個人被問到以上兩個關於人生動機本質的問題時，能馬上回答出答案的狀態，稱為「人生贏面」。

相信在學校念書或是在工作的各位，都會有毫無想法進行著某件日常工作的時候。然後在這之中，也有人會拚命努力，想要有所成果。這種行為本身十分令人尊敬，我也由衷想為這麼努力的人加油。

不過，在當下並無法了解自己所投入的事物，對自己而言是否真的算是幸福。也有可能眼前所追求的，單純只是「考試的勝算」、「生意上的得失」，而不是真的「人生贏面」。因為在沒有先徹底了解「一旦在生意上贏得勝利，自己就會得到幸福」的假設有多少機率成真，便不管三七二十一將自己所有時光投注在工作上，是種非常危險的行為。

希望各位讀者能運用抽象思考這種強而有力的工具，進行正確的自我分析，並尋找到人生真正的勝算。

假設在看世界盃的足球賽轉播，自己不由得感到緊張興奮而無法專心工作，請千萬不要忽略這樣的反應，也請不要錯過這種思考萌芽的珍貴時刻。希望各位能運用本書中介紹的方法，再稍微深入思考，很有可能因此發現自己想要從事「娛樂直播方面的工作」，或者是因此發現「如果擔任經營足球隊的工作，自己會打從心裡感到非常快樂」。

人生是一件很美妙的事，真的有無限的可能。現在各位所面對的事情，不一定就能代表自己人生的全部。**希望各位能試著思考在多樣的選擇之中，哪一個是能將自己人生幸福發展到極致的選項。**

真的是「找不到自己想做的事」嗎？

當自己深入思考人生內在的基礎核心後，因為還沒有完整架構，也不是什麼足以對外宣揚的事情，所以感到沮喪。遇到這種情形時，該怎麼處理呢？

首先要告訴各位，「不跟任何人說也無妨」。每個人都有不同的價值觀，都有各式各樣的想法，其中當然也會有不想輕易說出口的部分。如果遇到了不得不說的情形，那就運用從本書裡學到的抽象思考表現法即可。**請試著在不告訴任何人的前提下，篩選出自己想做的事。不管如何一定會有想做的事，一定會有。**

想受年輕女生歡迎、想要擁有〇〇億日圓、想要坐名牌跑車……。真的什麼都可以是自己想做的事。

雖然前面那些希望，乍見之下的動機都不單純，但擁有欲望，才像一個真實的血肉之軀。一旦欲望消失，人類本身也會變得不像人。並且，因為欲望與需求呈現階梯式的結構，一旦位於下方的欲望、需求得以實現，就可以再轉而追求實現較高層級的欲望。

尋找出能從內心湧現能量並竭盡努力的目標，進而展現出成果。在完成此項目標後，應該就會有其他的動機出現。因此先**試著從自己身上開始，尋找出自己內心真實的需求**。

什麼事物會激發自己的熱情？

一千看到這個部分，希望各位也能試著思考自己的人生、什麼是自己人生最核心的價值、什麼事物會激發自己的熱情？希望各位能仔細思考，當你之後在回顧自己的人生時，以幸福程度的觀點來看，會讓自己產生「那個瞬間最令我感到高興」、「那種時刻真是讓人充分感到幸福」的感覺是什麼樣的事物呢？理所當然的，人生最重要的核心價值會因人而異。

有人會說，在與要好的朋友一起享用美食，然後大家一起分享對未來的期待或夢想的瞬間，對自己來說是最快樂的時刻。因此對那個人而言，在吃飯與談論夢想的這個時刻本身，就是能讓自己人生幸福程度極大化的「贏面」。而能夠瞭解自己有這個部分，實在非常厲害。

人生是各種事件累積下來的成果。

當十分仔細地檢視生活作息或行事曆時，以「早上起床↓洗臉↓刷牙↓看十分鐘電視↓做點簡單的體操↓換裝」為例，都是由非常細微的事件連續而成。當累積這些事件時，一定是依照某種標準來進行判斷，這個標準，也一定要符合自己人生中最重要的價值觀主軸而發展。譬如，有十分鐘的時間時，你會拿來看推特或Instagram嗎？會打電話給朋友嗎？還是用來讀書呢？或者是打開電腦？還是會發呆？我認為決定這十分鐘如何運用的標準，便是基於自己的主要價值觀，也就是為自己指出人生目標的基礎價值概念而做出的決定。

人生不過只是一場「如何運用時間」的結果。既然如此，要在「怎麼利用時間」這個部分，選擇可以為自己的人生贏得更大勝算的選項。因為之後的人生，會與現在的自己做了什麼樣的選擇有關，所以如果能透過自我分析而得到作為選擇前提的人生指標，便是一項非常大的優勢。

準備好變成筆記狂人了嗎？

藉著持續做筆記，讓人生有更好的表現，並且為了堅強地克服各種困難，在自己體內以飛快的速度累積著大量必要的資訊，而且以後應該也會繼續照著這種速度累積吧？透過這本書，真的有很多要傳達給各位。要將自己意識到的事實，抽象思考、淬鍊成句或轉用為可學習的事物，真的十分費時到可能永無止境的狀態。比起這些事情，我又發現一項自己必須思考的更基本事物，就是「為什麼能在自己體內儲存如此大量的資訊」試著在本書結束之前，放下筆來冷靜客觀的思考之後，得到一個單純的答案。

就是「熱情」。

如同滾燙、不斷冒著熱氣，像現在馬上就會爆發的岩漿一樣的熱度。如果自己的體內能擁有這樣的能量來源，就不僅只是知道這些資訊而已，還可以自己製造生產出這樣的資訊。在讀完相關知識的書籍後，不要就丟在一旁不管，還可以進行抽象思考，以自己的方式再製造及生產。而此種能量的來源，「熱情」還是占了相當大的比重。就像「一定要通過這個考試」、「一定要做這個工作」、「一定要用這個企畫來創造一番事業」等任何人都無法阻擋、從內心自然湧現的強烈願望。在這層意義上，可以得知最重要的不是表面的技巧，而是在「為什麼要做」或是「為了什麼目的而做」這種基本的問題。

自己內心深處的期待到底是什麼？一旦能深入理解自己，每天便不會漫無目的懶散度日，可以將眼前平凡無奇的事物轉變為某種創新的點子，或是為了實現夢想而能以積極的態度過生活。讓每天的生活能樂在其中，自能積極爭取自己想要的事物，而不是過著被動的生活。如果能以這種態度來生活，人生將會過得十分輕鬆愉快。

每天我都進行大量抽象思考，因此每一天累積的新發現都多到不可勝數。我藉由推特或自己建立的線上交流空間等媒介，將每天得到的自我發現分享給大家。但是各位若只從我這一方單純地吸收與複製資訊，一定會在某個時間點上極限到來。在發現到不得不加上自己的獨創性時，或者是不得不以更長遠的眼光持續時，最後一分勝負的關鍵還是在內在熱情的能量大小。那種熱情的光芒，將可以替各位照亮通往各個方向的道路。

這種能量，也可以透過語言進行傳遞。用語言當作媒介傳遞這種能量，也有可能因為感受到此種熱情而打動人心。其實，因為我對做筆記太過狂熱，導致我的筆記熱情也感染了周遭一些重要的人做筆記的熱情，他們也紛紛拿起筆來做筆記。除了周遭之外，在不知不覺中還出現了以傳授前田式筆記法為名的工作坊、或者是前陣子在名為『西野的諮詢室』（ニシノコンサル）這個在網路電視台Abema TV上播出的談話節目中，因為有節目來賓拚命筆記而說，「你認真做筆記實在很棒！」結果那個來賓說道，「我是在模仿前田先生。」

我已經練就即使被他人說「你真是筆記狂人耶」，也不會顯得太過驚訝或高興。最令自己感到興奮的是將自己對筆記的熱情傳遞給周遭的朋友，讓他們也領略了筆記的魔力。當看到這些朋友也被他人說「你真是筆記狂人耶」的時候，我真是感到由衷高興。為什麼呢？因為我相信這些人的人生將從現在開始有所改變。因此，我也想要盡己所能將自己對筆記的熱情傳達給各位。

順帶一提，這種熱情的能量會從高溫的一方傳達到低溫的一側。當兩者熱度相同時，能量並不會產生移動。因此，在本書的最後，我將會以心中最強烈的熱情傳遞訊息給各位。

現在看著此頁的各位讀者，你擁有生活在未來、克服各種困難的強烈「熱情」嗎？你手裡拿著「筆」了嗎？有「筆記本」嗎？

然後，在闔上這本書之後，有沒有成為「筆記狂人」的心理準備呢？

我希望能有更多的筆記狂人感受到筆記的魔力。

也希望能讓更多人體驗到筆記的魔力，並因此過著更美好、更幸福的人生。

也期待這個世界的幸福總量能有所增加。

最後，在現在這個當下與我展開對話的各位讀者，我最期待的是筆記一定能為各位帶來真正的幸福。

敬祝各位可以擁有一個完美的筆記狂人生活！

終章

拿起你的筆做筆記！讓我們來改變人生和世界

現在回想起來，我從小時候便最喜歡整理筆記，然後將所有內容漂亮地整理在筆記本上。

我對筆記的初體驗是在小學時代。我八歲時失去父母，只剩一個年長十歲的哥哥，當時十八歲的哥哥放棄了成為醫生的夢想，馬上外出工作以養活我們兄弟倆。雖然如此，因為深受失去母親的打擊，到小學高年級為止心靈有些受創的自己，為哥哥帶來很多的麻煩，也沒有很認真念書。在小學五年級快結束時，還發生了讓哥哥十分難過的事。從那之後，心中便有一股強烈的欲望，那就是「想要讓哥哥感到高興」，這個願望一直是支撐自己活下去的原動力。之後整個成長過程中，自己採用的方法是「用功念書」，然後，「將所有的筆記大量且工整地記錄在筆記本上」。我十分開心自己能讓哥哥和老師感到高興，會將書寫得密密麻麻的筆記本翻開給他們看。這本筆記本裡，寫滿了上課時自己發現的事物，之後會再用漂亮的標籤紙貼在本子上，並區分顏色，再用自己定下的規則進行整理。當我拿自己的筆記給他們看時，看到了他們真正感到高興的表情，實在無比開心。在小學六年級時，擔任班導的吉野老師還拿著我的筆記在學校裡到處廣為宣傳道，「大家都要像前田的筆記術看齊！」

現在想起來，根本無法確認當時的筆記是否真的那麼優秀？還是只因為老師拚命想鼓勵那時父母雙亡、感到悲慟且沒什麼朋友的我，才有這種行為。每當回想起當時老師對我的關愛和照顧，即使只是像這樣寫個文章，還會感動流下眼淚。老師拿著我的筆記本，引以為傲地展示給大家看的景象，一直深深烙印在我的腦海裡。不知道老師有沒有機會讀到這本書？也許老師根本沒有記住我，但真的很感謝吉野老師。

每當想到這件事，就會覺得真的要「將正能量傳出去」。也就是說，要像以前吉野老師和哥哥對我所做的鼓勵一樣，現在的自己在看到各位的筆記時，也會盡可能大加稱讚。請大家務必在臉書、推特或ＩＧ等社群軟體上，儘量將自己的筆記上傳，而且一定要記得標註我。我會儘量對所有的指定發文做回應，讓自己成為各位的吉野老師！

還有另外一點。

閱讀這本書的各位或許會覺得，「這個人有些瘋狂……」或者是，「為什麼要做到這種地步呢？」

對閱讀到這裡各位讀者，因為想儘量與各位進行交流，所以我想更進一步公開自己的自卑經驗。在我想到自己對筆記熱情的來源時，有一個最先浮現腦海的影像。

那是「佇立在黑板前的少女身影」。

小學時，同年級中有一個女生非常會念書，她也去地方上所有好學生會去的補習班補習，反觀當時家境清寒的自己絕對不可能去上補習班，即使再怎麼努力，在學校成績上也無法贏過她。

那時候的我十分討厭這個女生。雖然這個女生沒有做錯任何事，也是一個非常善良單純的孩子。

我可能因為失去父母而過於悲慟，導致大腦的思考也變得十分怪異，急切需要他人的認同。當時失去了自己最愛的母親，迫切渴望被愛，看到比自己擁有更多關愛的對象，羨慕到極致，實在是一種難以言喻的情緒。但是，這也是事實。現在真的感到很後悔。

「是不是因為出生場所不同，就註定會不會受到關愛？」
「為什麼會輸給一個只是家庭環境比自己好的人呢？」
「就算是媽媽過世，或者是家境貧窮，也不是我的錯。」
「為什麼這個世界就是不愛我呢？」

那個時候的每天夜晚，真的都哭得很慘，一到晚上，內心填滿了滿腔的懊悔，只能不斷的嗚咽啜泣。

那時的自己，為了要贏過那個女孩所採取的策略就是「做筆記」。在本書終章一開始，我有提到自己做筆記是「為了讓哥哥和老師感到高興」，這個部分也沒有說謊。但是這樣寫的話，卻讓自己感到有些罪惡。因此內心感到十分糾結，便追加了原本沒有打算寫進書中的告白。深入探討自己當時的內心情況，做筆記的主要動機，應該不是「想讓哥哥覺得高興」這種高尚且利他的原因。反而應該是基於「想要讓自己被愛」的動機，這種完全有利於自己的欲望及需求。

那時我發現，如果在課堂上做大量的筆記，老師或周圍的同學便會把目光轉向自己。然後我自己也把筆記當成有利於自己的武器，讓老師或一些大人可以向自己投以關愛的眼光。漸漸地，周遭眾人的反應也開始有了變化，讓自己所受的關注多於那位女孩，讓那時的我感受到被認同的喜悅。

其實，在我心中仍常常出現小學時的那位女孩身影。然後，這個女孩還會在黑板前面說明著大家還沒學到的新課程內容。

這並不是在睡著時做的夢，而是在現實世界裡所看到的影像。這樣的影像會突然在大腦中播放，從十二歲起一直是如此，未曾間斷。然後，在這個深深烙印在我腦海中的影像裡，這個女孩的背後還有一個惡魔。惡魔臉上浮現狡猾的微笑，彷彿是看著自己，以嘲笑的口吻說道，「你再怎麼努力都沒有用的啦。」

我為了打倒那個惡魔，手上拿起了筆。

因而得到了記錄筆記這項具有魔力的技巧。

對這個表現得比自己還要優秀的同學，想要用「筆記」為武器，來對抗命運。

或許這樣的情節聽起來像是我在編造故事，但當時的我以非常認真的態度看待這件事。

老實說，一直到最後都十分煩惱這件事情到底要不要寫進書裡。因為要公開向讀者說明這麼私人的情緒，實在感到非常不自在且有所顧慮。但是我想要向各位表達的是，即使做筆記的出發點是因為這種原因也沒有關係，所以還是勉為其難與大家分享了。

因為我做筆記的筆記術摻雜了自己人生中的各種情感，將所有想傳授給讀者的技巧都盡己之所能濃縮在本書裡，所以我深信這本書一定具有相當的魔力。也許有人覺得本書這樣的思考方式有些沉重，其實各位讀者只吸收其中的一小部分也無妨，能接受我這份心意的話，我便會感到高興。

藉由本書向各位提到許多理論。如果有人覺得「前田先生一下講抽象思考，一下子又提出了Why型的方法，好像是在說什麼有點難懂的事情」，那就暫時先把這些理論擱在一旁。我撰寫本書時，真的是用盡全身能量，希望筆記術能帶給各位更好的人生。我這份對書寫筆記的熱情，希望能與各位讀者一同分享。希望各位能因此提升自己的熱情、改變自己，然後再將這份熱情傳遞給某人，讓更多的人感受到筆記的魔力。讓筆記成為改變自我人生的最佳良伴，進而改變整個世界。

對我而言，筆記就是一種生活方式。
透過筆記，認識這個世界，產生創造靈感。
藉由筆記認識自己，建立人生的方向。
因為筆記，擁有夢想，產生熱情。

這樣的熱情確實可以驅動自己、打動人心，然後大幅改變人生和這個世界。

閱讀到這個部分的讀者，在現在這個瞬間，與閱讀本書之前的自己已有大大的不同。各位學到了筆記的強大魔力，擁有比之前強大數倍的能量。就像從實際投身沙場的戰士轉變為魔法師那樣的感覺，至今無法打倒的怪獸，現在都可以輕而易舉地推倒。相信也有人會覺得，「欸？可以這麼順利就產生靈感？那麼輕鬆地解決問題？」

這實在是很厲害的能量。

希望各位不要為了一時的魔力而自滿，請務必用在正途，長期持續使用。希望之後筆記能深入影響各位的生活方式，同時也期待著對筆記擁有共同熱情與能量的同好能逐漸增加，這就是我的願望。

為了不輸給各位，我從現在開始更要提升自己的技能，用更大量的熱情投注在做筆記身上，以獲得全世界，這是我自己的體悟。

在本書的最後，希望閱讀本書的讀者們，真的都能實現自己的夢想。也希望幸福可以降臨在得到筆記魔力的各位身上。

所謂的筆記，就是一種生活。滿心期待著各位的筆記，還有衷心盼望各位能夠親眼目睹因為做筆記讓人生有所改變的那個雀躍瞬間，直到筆記的魔力將我們連結在一起的那天為止。

筆記的魔力

前田裕二

特別附錄：

了解自我的「自我分析一千題」

在這裡為各位準備了「了解自我的1000個疑問」。
從①到⑩分別是不同的等級。
等級越高，代表問題的具體度也越高。
在回答問題的時候，請將筆記本打開，並跨頁使用。
在筆記本每頁的左上方寫下問題，
並將具體的回答及事實記錄在左頁上。
接著，在筆記本的右頁，
進行對該事實的抽象思考及轉用。
筆記本準備好了嗎？讓我們一起，
尋找能為自己的人生指出正確方向的指南針吧！

等級 ① 關於夢想的一百個問題

開始	1	為什麼要回答這一千個問題呢？你的目的是什麼？
	2	回答這一千個問題後，想從中獲得什麼？
幼兒時期	3	你未來的夢想是什麼？
	4	理想中的職業是什麼？
	5	嚮往成為一個什麼樣的人？
	6	理想中的飲食生活是什麼樣子？
	7	理想中是住在什麼樣的地方？
	8	理想中的年薪是多少？
	9	理想中的對象是什麼模樣？
	10	你的理念是什麼？
小學	11	你未來的夢想是什麼？
	12	理想中的職業是什麼？
	13	嚮往成為一個什麼樣的人？
	14	理想中的飲食生活是什麼樣子？
	15	理想中是住在什麼樣的地方？
	16	理想中的年薪是多少？
	17	理想中的對象是什麼模樣？
	18	你的理念是什麼？
中學	19	你未來的夢想是什麼？
	20	理想中的職業是什麼？
	21	嚮往成為一個什麼樣的人？
	22	理想中的飲食生活是什麼樣子？
	23	理想中是住在什麼樣的地方？
	24	理想中的年薪是多少？
	25	理想中的對象是什麼模樣？
	26	你的理念是什麼？
高中	27	你未來的夢想是什麼？
	28	理想中的職業是什麼？
	29	嚮往成為一個什麼樣的人？
	30	理想中的飲食生活是什麼樣子？
	31	理想中是住在什麼樣的地方？
	32	理想中的年薪是多少？
	33	理想中的對象是什麼模樣？

	34	你的理念是什麼？
大學	35	你未來的夢想是什麼？
	36	理想中的職業是什麼？
	37	嚮往成為一個什麼樣的人？
	38	理想中的飲食生活是什麼樣子？
	39	理想中是住在什麼樣的地方？
	40	理想中的年薪是多少？
	41	理想中的對象是什麼模樣？
	42	你的理念是什麼？
社會人士（二十歲之後）	43	你未來的夢想是什麼？
	44	理想中的職業是什麼？
	45	嚮往成為一個什麼樣的人？
	46	理想中的飲食生活是什麼樣子？
	47	理想中是住在什麼樣的地方？
	48	理想中的年薪是多少？
	49	理想中的對象是什麼模樣？
	50	你的理念是什麼？
未來	51	進入三十歲之後想要從事哪種職業？
	52	進入三十歲之後，你在社會上有什麼地位？
	53	三十歲之後，自己會對社會帶來什麼影響？
	54	三十幾歲時的年薪是多少？
	55	你動用金錢的主要對象為何？
	56	三十歲之後想住在哪裡？
	57	三十歲之後的生活型態是什麼模樣？
	58	在三十幾歲的時候想有什麼新的挑戰？
	59	在三十幾歲的時候，周遭的人對你有什麼樣的期待？
	60	進入四十歲之後想要從事哪種職業？
	61	進入四十歲之後，你在社會上有什麼地位？
	62	四十幾歲的時候，自己會對社會帶來什麼影響？
	63	四十幾歲時的年薪是多少？
	64	你動用金錢的主要對象為何？
	65	四十歲之後想住在哪裡？
	66	四十歲之後的生活型態是什麼模樣？
	67	在四十幾歲的時候想有什麼新的挑戰？
	68	在四十幾歲的時候，周遭的人對你有什麼樣的期待？

	69	進入五十歲之後想要從事哪種職業？
	70	進入五十歲之後，你在社會上有什麼地位？
	71	五十幾歲的時候，自己會對社會帶來什麼影響？
	72	五十幾歲時的年薪是多少？
	73	你動用金錢的主要對象為何？
	74	五十歲之後想住在哪裡？
	75	五十歲之後的生活型態是什麼模樣？
	76	在五十幾歲的時候想有什麼新的挑戰？
	77	在五十幾歲的時候，周遭的人對你有什麼樣的期待？
	78	你想工作到幾歲？
	79	在那個時候，你想要的社會地位為何？
	80	那個時候，自己會對社會帶來什麼影響？
	81	那個時候，自己的所有財產會是多少？
	82	你動用金錢的主要對象為何？
	83	那個時候想住在哪裡？
	84	那個時候的生活型態是什麼模樣？
	85	想要有什麼新的挑戰？
	86	那個時候，周遭的人對你有什麼樣的期待？
	87	在生命結束之前，你想實現的願望是什麼？（關於家人、親戚之間）
	88	在生命結束之前，你想實現的願望是什麼？（關於朋友、認識的人方面）
	89	在生命結束之前，你想實現的願望是什麼？（關於課業、工作方面）
	90	在生命結束之前，你想實現的願望是什麼？（關於興趣方面）
	91	在生命結束之前，你想實現的願望是什麼？（其他）
	92	想要怎樣迎接死亡來臨的瞬間？
現在	93	你未來的夢想是什麼？
	94	理想中的職業是什麼？
	95	嚮往成為一個什麼樣的人？
	96	理想中的飲食生活是什麼樣子？
	97	理想中是住在什麼樣的地方？
	98	理想中的年薪是多少？
	99	理想中的對象是什麼模樣？
	100	你的理念是什麼？

等級② 關於個性的一百個問題①

開始	1	為什麼要回答後面的九百個問題呢？你的目的是什麼？
	2	回答後面的九百個問題後，想從中獲得什麼？
幼兒時期	3	請用一句話形容自己的個性。
	4	你的座右銘是什麼？
	5	喜歡自己的什麼地方？
	6	討厭自己的什麼地方？
	7	覺得自己值得尊敬的地方是什麼？
	8	哪些是自己能引以為傲的地方？
	9	覺得自卑的地方是什麼？
	10	什麼是你最珍惜的東西？
	11	什麼是你最不在乎的東西？
	12	你是個很能觀察周遭氣氛的人嗎？ 還是對此事不擅長的人呢？
	13	你是個會聽他人建議的人嗎？
	14	你會以積極正向的態度面對事情嗎？ 還是偏向消極負面呢？
	15	做決定時，以什麼原則進行判斷？
	16	你是運氣很好的人嗎？
小學	17	請用一句話形容自己的個性。
	18	你的座右銘是什麼？
	19	喜歡自己的什麼地方？
	20	討厭自己的什麼地方？
	21	覺得自己值得尊敬的地方是什麼？
	22	哪些是自己能引以為傲的地方？
	23	覺得自卑的地方是什麼？
	24	什麼是你最珍惜的東西？
	25	什麼是你最不在乎的東西？
	26	你是個很能觀察周遭氣氛的人嗎？ 還是對此事不擅長的人呢？
	27	你是個會聽他人建議的人嗎？
	28	你會以積極正向的態度面對事情嗎？ 還是偏向消極負面呢？
	29	做決定時，以什麼原則進行判斷？
	30	你是運氣很好的人嗎？
中學	31	請用一句話形容自己的個性。

	32	你的座右銘是什麼？
	33	喜歡自己的什麼地方？
	34	討厭自己的什麼地方？
	35	覺得自己值得尊敬的地方是什麼？
	36	哪些是自己能引以為傲的地方？
	37	覺得自卑的地方是什麼？
	38	什麼是你最珍惜的東西？
	39	什麼是你最不在乎的東西？
	40	你是個很能觀察周遭氣氛的人嗎？還是對此事不擅長的人呢？
	41	你是個會聽他人建議的人嗎？
	42	你會以積極正向的態度面對事情嗎？ 還是偏向消極負面呢？
	43	做決定時，以什麼原則進行判斷？
	44	你是運氣很好的人嗎？
高中	45	請用一句話形容自己的個性。
	46	你的座右銘是什麼？
	47	喜歡自己的什麼地方？
	48	討厭自己的什麼地方？
	49	覺得自己值得尊敬的地方是什麼？
	50	哪些是自己能引以為傲的地方？
	51	覺得自卑的地方是什麼？
	52	什麼是你最珍惜的東西？
	53	什麼是你最不在乎的東西？
	54	你是個很能觀察周遭氣氛的人嗎？還是對此事不擅長的人呢？
	55	你是個會聽他人建議的人嗎？
	56	你會以積極正向的態度面對事情嗎？ 還是偏向消極負面呢？
	57	做決定時，以什麼原則進行判斷？
	58	你是運氣很好的人嗎？
大學	59	請用一句話形容自己的個性。
	60	你的座右銘是什麼？
	61	喜歡自己的什麼地方？
	62	討厭自己的什麼地方？
	63	覺得自己值得尊敬的地方是什麼？
	64	哪些是自己能引以為傲的地方？
	65	覺得自卑的地方是什麼？
	66	什麼是你最珍惜的東西？

	67	什麼是你最不在乎的東西？
	68	你是個很能觀察周遭氣氛的人嗎？ 還是對此事不擅長的人呢？
	69	你是個會聽他人建議的人嗎？
	70	你會以積極正向的態度面對事情嗎？ 還是偏向消極負面呢？
	71	做決定時，以什麼原則進行判斷？
	72	你是運氣很好的人嗎？
社會人士（二十歲開始）	73	請用一句話形容自己的個性。
	74	你的座右銘是什麼？
	75	喜歡自己的什麼地方？
	76	討厭自己的什麼地方？
	77	覺得自己值得尊敬的地方是什麼？
	78	哪些是自己能引以為傲的地方？
	79	覺得自卑的地方是什麼？
	80	什麼是你最珍惜的東西？
	81	什麼是你最不在乎的東西？
	82	你是個很能觀察周遭氣氛的人嗎？ 還是對此事不擅長的人呢？
	83	你是個會聽他人建議的人嗎？
	84	你會以積極正向的態度面對事情嗎？還是偏向消極負面呢？
	85	做決定時，以什麼原則進行判斷？
	86	你是運氣很好的人嗎？
現在	87	請用一句話形容自己的個性。
	88	你的座右銘是什麼？
	89	喜歡自己的什麼地方？
	90	討厭自己的什麼地方？
	91	覺得自己值得尊敬的地方是什麼？
	92	哪些是自己能引以為傲的地方？
	93	覺得自卑的地方是什麼？
	94	什麼是你最珍惜的東西？
	95	什麼是你最不在乎的東西？
	96	你是個很能觀察周遭氣氛的人嗎？還是對此事不擅長的人呢？
	97	你是個會聽他人建議的人嗎？
	98	你會以積極正向的態度面對事情嗎？還是偏向消極負面呢？
	99	做決定時，以什麼原則進行判斷？
	100	你是運氣很好的人嗎？

等級③ 關於個性的一百個問題②

開始	1	為什麼要回答後面的八百個問題呢？你的目的是什麼？
	2	回答後面的八百個問題後，想從中獲得什麼？
幼兒時期	3	請用一句話形容自己的個性。
	4	自己的優點是什麼？
	5	自己的缺點是什麼？
	6	自己像父親或像母親？
	7	覺得自己對哪些事物較擅長？
	8	覺得自己不擅於處理哪些事物？
	9	自己的個性是外向、社交型的嗎？還是屬於內向的呢？
	10	善於溝通嗎？還是不善此道呢？
	11	對初次見面的人，能很快互相熟悉嗎？
	12	喜歡獨處嗎？還是喜歡跟大家在一起呢？
	13	你通常會發現他人的優點嗎？還是常會看到缺點？
	14	對交情最好的朋友，你最欣賞他的哪一個部分？
	15	如果去無人島時只能帶一樣東西，你會選什麼？
	16	如果去無人島時只能帶一個人，你會帶誰呢？
小學	17	請用一句話形容自己的個性。
	18	自己的優點是什麼？
	19	自己的缺點是什麼？
	20	自己像父親或像母親？
	21	覺得自己對哪些事物較擅長？
	22	覺得自己不擅於處理哪些事物？
	23	自己的個性是外向、社交型的嗎？還是屬於內向的呢？
	24	善於溝通嗎？還是不善此道呢？
	25	對初次見面的人，能很快互相熟悉嗎？
	26	喜歡獨處嗎？還是喜歡跟大家在一起呢？
	27	你通常會發現他人的優點嗎？還是常會看到缺點？
	28	對交情最好的朋友，你最欣賞他的哪一個部分？
	29	如果去無人島時只能帶一樣東西，你會選什麼？
	30	如果去無人島時只能帶一個人，你會帶誰呢？
中學	31	請用一句話形容自己的個性。
	32	自己的優點是什麼？
	33	自己的缺點是什麼？

	34	自己像父親或像母親？
	35	覺得自己對哪些事物較擅長？
	36	覺得自己不擅於處理哪些事物？
	37	自己的個性是外向、社交型的嗎？還是屬於內向的呢？
	38	善於溝通嗎？還是不善此道呢？
	39	對初次見面的人，能很快互相熟悉嗎？
	40	喜歡獨處嗎？還是喜歡跟大家在一起呢？
	41	你通常會發現他人的優點嗎？還是常會看到缺點？
	42	對交情最好的朋友，你最欣賞他的哪一個部分？
	43	如果去無人島時只能帶一樣東西，你會選什麼？
	44	如果去無人島時只能帶一個人，你會帶誰呢？
高中	45	請用一句話形容自己的個性。
	46	自己的優點是什麼？
	47	自己的缺點是什麼？
	48	自己像父親或像母親？
	49	覺得自己對哪些事物較擅長？
	50	覺得自己不擅於處理哪些事物？
	51	自己的個性是外向、社交型的嗎？還是屬於內向的呢？
	52	善於溝通嗎？還是不善此道呢？
	53	對初次見面的人，能很快互相熟悉嗎？
	54	喜歡獨處嗎？還是喜歡跟大家在一起呢？
	55	你通常會發現他人的優點嗎？還是常會看到缺點？
	56	對交情最好的朋友，你最欣賞他的哪一個部分？
	57	如果去無人島時只能帶一樣東西，你會選什麼？
	58	如果去無人島時只能帶一個人，你會帶誰呢？
大學	59	請用一句話形容自己的個性。
	60	自己的優點是什麼？
	61	自己的缺點是什麼？
	62	自己像父親或像母親？
	63	覺得自己對哪些事物較擅長？
	64	覺得自己不擅於處理哪些事物？
	65	自己的個性是外向、社交型的嗎？還是屬於內向的呢？
	66	善於溝通嗎？還是不善此道呢？
	67	對初次見面的人，能很快互相熟悉嗎？
	68	喜歡獨處嗎？還是喜歡跟大家在一起呢？

	69	你通常會發現他人的優點嗎？還是常會看到缺點？
	70	對交情最好的朋友，你最欣賞他的哪一個部分？
	71	如果去無人島時只能帶一樣東西，你會選什麼？
	72	如果去無人島時只能帶一個人，你會帶誰呢？
社會人士（二十歲開始）	73	請用一句話形容自己的個性。
	74	自己的優點是什麼？
	75	自己的缺點是什麼？
	76	自己像父親或像母親？
	77	覺得自己對哪些事物較擅長？
	78	覺得自己不擅於處理哪些事物？
	79	自己的個性是外向、社交型的嗎？還是屬於內向的呢？
	80	善於溝通嗎？還是不善此道呢？
	81	對初次見面的人，能很快互相熟悉嗎？
	82	喜歡獨處嗎？還是喜歡跟大家在一起呢？
	83	你通常會發現他人的優點嗎？還是常會看到缺點？
	84	對交情最好的朋友，你最欣賞他的哪一個部分？
	85	如果去無人島時只能帶一樣東西，你會選什麼？
	86	如果去無人島時只能帶一個人，你會帶誰呢？
現在	87	請用一句話形容自己的個性。
	88	自己的優點是什麼？
	89	自己的缺點是什麼？
	90	自己像父親或像母親？
	91	覺得自己對哪些事物較擅長？
	92	覺得自己不擅於處理哪些事物？
	93	自己的個性是外向、社交型的嗎？還是屬於內向的呢？
	94	善於溝通嗎？還是不善此道呢？
	95	對初次見面的人，能很快互相熟悉嗎？
	96	喜歡獨處嗎？還是喜歡跟大家在一起呢？
	97	你通常會發現他人的優點嗎？還是常會看到缺點？
	98	對交情最好的朋友，你最欣賞他的哪一個部分？
	99	如果去無人島時只能帶一樣東西，你會選什麼？
	100	如果去無人島時只能帶一個人，你會帶誰呢？

等級④ 關於經驗的一百個問題①

開始	1	為什麼要回答後面的七百個問題呢？你的目的是什麼？
	2	回答後面的七百個問題後，想從中獲得什麼？
幼兒時期	3	最讓你感到高興的事情是什麼？
	4	什麼是你最有趣的經驗？
	5	什麼是讓你感到最幸福的事？
	6	什麼事最能讓你體驗到成功的滋味？
	7	最引以為傲的經驗是什麼？
	8	最感動的經驗是什麼？
	9	最努力的經驗是什麼？
	10	影響最深的一件事是什麼？
	11	誰是影響你最大的人？
	12	與周遭眾人一起合作完成的最大事項？
	13	讓生活方式和思考方式受到最大影響的經驗是什麼？
	14	最喜歡的一句話是什麼？
	15	最感到難過的事是什麼？
	16	最痛苦的事是什麼？
小學	17	最讓你感到高興的事情是什麼？
	18	什麼是你最有趣的經驗？
	19	什麼是讓你感到最幸福的事？
	20	什麼事最能讓你體驗到成功的滋味？
	21	最引以為傲的經驗是什麼？
	22	最感動的經驗是什麼？
	23	最努力的經驗是什麼？
	24	影響最深的一件事是什麼？
	25	誰是影響你最大的人？
	26	與周遭眾人一起合作完成的最大事項？
	27	讓生活方式和思考方式受到最大影響的經驗是什麼？
	28	最喜歡的一句話是什麼？
	29	最感到難過的事是什麼？
	30	最痛苦的事是什麼？
中學	31	最讓你感到高興的事情是什麼？
	32	什麼是你最有趣的經驗？

	33	什麼是讓你感到最幸福的事？
	34	什麼事最能讓你體驗到成功的滋味？
	35	最引以為傲的經驗是什麼？
	36	最感動的經驗是什麼？
	37	最努力的經驗是什麼？
	38	影響最深的一件事是什麼？
	39	誰是影響你最大的人？
	40	與周遭眾人一起合作完成的最大事項？
	41	讓生活方式和思考方式受到最大影響的經驗是什麼？
	42	最喜歡的一句話是什麼？
	43	最感到難過的事是什麼？
	44	最痛苦的事是什麼？
高中	45	最讓你感到高興的事情是什麼？
	46	什麼是你最有趣的經驗？
	47	什麼是讓你感到最幸福的事？
	48	什麼事最能讓你體驗到成功的滋味？
	49	最引以為傲的經驗是什麼？
	50	最感動的經驗是什麼？
	51	最努力的經驗是什麼？
	52	影響最深的一件事是什麼？
	53	誰是影響你最大的人？
	54	與周遭眾人一起合作完成的最大事項？
	55	讓生活方式和思考方式受到最大影響的經驗是什麼？
	56	最喜歡的一句話是什麼？
	57	最感到難過的事是什麼？
	58	最痛苦的事是什麼？
大學	59	最讓你感到高興的事情是什麼？
	60	什麼是你最有趣的經驗？
	61	什麼是讓你感到最幸福的事？
	62	什麼事最能讓你體驗到成功的滋味？
	63	最引以為傲的經驗是什麼？
	64	最感動的經驗是什麼？
	65	最努力的經驗是什麼？
	66	影響最深的一件事是什麼？

	67	誰是影響你最大的人？
	68	與周遭眾人一起合作完成的最大事項？
	69	讓生活方式和思考方式受到最大影響的經驗是什麼？
	70	最喜歡的一句話是什麼？
	71	最感到難過的事是什麼？
	72	最痛苦的事是什麼？
社會人士（二十歲開始）	73	最讓你感到高興的事情是什麼？
	74	什麼是你最有趣的經驗？
	75	什麼是讓你感到最幸福的事？
	76	什麼事最能讓你體驗到成功的滋味？
	77	最引以為傲的經驗是什麼？
	78	最感動的經驗是什麼？
	79	最努力的經驗是什麼？
	80	影響最深的一件事是什麼？
	81	誰是影響你最大的人？
	82	與周遭眾人一起合作完成的最大事項？
	83	讓生活方式和思考方式受到最大影響的經驗是什麼？
	84	最喜歡的一句話是什麼？
	85	最感到難過的事是什麼？
	86	最痛苦的事是什麼？
現在	87	最讓你感到高興的事情是什麼？
	88	什麼是你最有趣的經驗？
	89	什麼是讓你感到最幸福的事？
	90	什麼事最能讓你體驗到成功的滋味？
	91	最引以為傲的經驗是什麼？
	92	最感動的經驗是什麼？
	93	最努力的經驗是什麼？
	94	影響最深的一件事是什麼？
	95	誰是影響你最大的人？
	96	與周遭眾人一起合作完成的最大事項？
	97	讓生活方式和思考方式受到最大影響的經驗是什麼？
	98	最喜歡的一句話是什麼？
	99	最感到難過的事是什麼？
	100	最痛苦的事是什麼？

等級⑤　關於經驗的一百個問題②

開始	1	為什麼要回答後面的六百個問題呢？你的目的是什麼？
	2	回答後面的六百個問題後，想從中獲得什麼？
幼兒時期	3	讓你充分領略背叛滋味的事是什麼？
	4	讓你覺得最挫折的經驗是什麼？
	5	讓你覺得最不好意思的經驗是什麼？
	6	什麼事影響你最深？
	7	影響你最深的人是誰？
	8	讓你覺得最痛苦的一句話是什麼？
	9	你撒過最大的謊是什麼？
	10	你曾經歷過的最大謊言是什麼？
	11	讓你覺得後悔的一件事是什麼？
	12	最傷你自尊心的一件事是什麼？
	13	記憶中最生氣的一件事是什麼？
	14	最無法原諒的一件事是什麼？
	15	讓你覺得最反感的一件事是什麼？
	16	你最大的祕密是什麼？
小學	17	讓你充分領略背叛滋味的事是什麼？
	18	讓你覺得最挫折的經驗是什麼？
	19	讓你覺得最不好意思的經驗是什麼？
	20	什麼事影響你最深？
	21	影響你最深的人是誰？
	22	讓你覺得最痛苦的一句話是什麼？
	23	你撒過最大的謊是什麼？
	24	你曾經歷過的最大謊言是什麼？
	25	讓你覺得後悔的一件事是什麼？
	26	最傷你自尊心的一件事是什麼？
	27	記憶中最生氣的一件事是什麼？
	28	最無法原諒的一件事是什麼？
	29	讓你覺得最反感的一件事是什麼？
	30	你最大的祕密是什麼？
中學	31	讓你充分領略背叛滋味的事是什麼？
	32	讓你覺得最挫折的經驗是什麼？

	33	讓你覺得最不好意思的經驗是什麼？
	34	什麼事影響你最深？
	35	影響你最深的人是誰？
	36	讓你覺得最痛苦的一句話是什麼？
	37	你撒過最大的謊是什麼？
	38	你曾經歷過的最大謊言是什麼？
	39	讓你覺得後悔的一件事是什麼？
	40	最傷你自尊心的一件事是什麼？
	41	記憶中最生氣的一件事是什麼？
	42	最無法原諒的一件事是什麼？
	43	讓你覺得最反感的一件事是什麼？
	44	你最大的祕密是什麼？
高中	45	讓你充分領略背叛滋味的事是什麼？
	46	讓你覺得最挫折的經驗是什麼？
	47	讓你覺得最不好意思的經驗是什麼？
	48	什麼事影響你最深？
	49	影響你最深的人是誰？
	50	讓你覺得最痛苦的一句話是什麼？
	51	你撒過最大的謊是什麼？
	52	你曾經歷過的最大謊言是什麼？
	53	讓你覺得後悔的一件事是什麼？
	54	最傷你自尊心的一件事是什麼？
	55	記憶中最生氣的一件事是什麼？
	56	最無法原諒的一件事是什麼？
	57	讓你覺得最反感的一件事是什麼？
	58	你最大的祕密是什麼？
大學	59	讓你充分領略背叛滋味的事是什麼？
	60	讓你覺得最挫折的經驗是什麼？
	61	讓你覺得最不好意思的經驗是什麼？
	62	什麼事影響你最深？
	63	影響你最深的人是誰？
	64	讓你覺得最痛苦的一句話是什麼？
	65	你撒過最大的謊是什麼？
	66	你曾經歷過的最大謊言是什麼？

	67	讓你覺得後悔的一件事是什麼？
	68	最傷你自尊心的一件事是什麼？
	69	記憶中最生氣的一件事是什麼？
	70	最無法原諒的一件事是什麼？
	71	讓你覺得最反感的一件事是什麼？
	72	你最大的祕密是什麼？
社會人士（二十歲開始）	73	讓你充分領略背叛滋味的事是什麼？
	74	讓你覺得最挫折的經驗是什麼？
	75	讓你覺得最不好意思的經驗是什麼？
	76	什麼事影響你最深？
	77	影響你最深的人是誰？
	78	讓你覺得最痛苦的一句話是什麼？
	79	你撒過最大的謊是什麼？
	80	你曾經歷過的最大謊言是什麼？
	81	讓你覺得後悔的一件事是什麼？
	82	最傷你自尊心的一件事是什麼？
	83	記憶中最生氣的一件事是什麼？
	84	最無法原諒的一件事是什麼？
	85	讓你覺得最反感的一件事是什麼？
	86	你最大的祕密是什麼？
現在	87	人生中讓你充分領略背叛滋味的事是什麼？
	88	人生中讓你覺得最挫折的經驗是什麼？
	89	人生中讓你覺得最不好意思的經驗是什麼？
	90	人生中什麼事影響你最深？
	91	人生中影響你最深的人是誰？
	92	到目前為止讓你覺得最痛苦的一句話是什麼？
	93	到目前為止你撒過最大的謊是什麼？
	94	到目前為止你曾經歷過的最大謊言是什麼？
	95	人生中讓你覺得後悔的一件事是什麼？
	96	人生中最傷你自尊心的一件事是什麼？
	97	人生中最生氣的一件事是什麼？
	98	人生中最無法原諒的一件事是什麼？
	99	人生中讓你覺得最反感的一件事是什麼？
	100	人生中你最大的祕密是什麼？

等級⑥ 關於家人、親戚的一百個問題

開始	1	為什麼要回答後面的五百個問題呢？你的目的是什麼？
	2	回答後面的五百個問題後，想從中獲得什麼？
幼兒時期	3	與父親的關係如何？
	4	與母親的關係如何？
	5	與兄弟姊妹的關係如何？
	6	與祖父母的關係如何？
	7	與親戚間的關係如何？
	8	有養過寵物嗎？有什麼樣的回憶呢？
	9	你在家人之中擔任什麼樣的角色？
	10	你在親戚之中擔任什麼樣的角色？
	11	家人之間最美好的回憶是什麼？
	12	家人之間最痛苦的回憶是什麼？
	13	在親戚之間印象最深的事是什麼？
	14	家人之間有訂下什麼規範嗎？
	15	家庭的教育方針是什麼？
	16	家庭的經濟狀況如何？
小學	17	與父親的關係如何？
	18	與母親的關係如何？
	19	與兄弟姊妹的關係如何？
	20	與祖父母的關係如何？
	21	與親戚間的關係如何？
	22	有養過寵物嗎？有什麼樣的回憶呢？
	23	你在家人之中擔任什麼樣的角色？
	24	你在親戚之中擔任什麼樣的角色？
	25	家人之間最美好的回憶是什麼？
	26	家人之間最痛苦的回憶是什麼？
	27	在親戚之間印象最深的事是什麼？
	28	家人之間有訂下什麼規範嗎？
	29	家庭的教育方針是什麼？
	30	家庭的經濟狀況如何？
中學	31	與父親的關係如何？
	32	與母親的關係如何？
	33	與兄弟姊妹的關係如何？

	34	與祖父母的關係如何？
	35	與親戚間的關係如何？
	36	有養過寵物嗎？有什麼樣的回憶呢？
	37	你在家人之中擔任什麼樣的角色？
	38	你在親戚之中擔任什麼樣的角色？
	39	家人之間最美好的回憶是什麼？
	40	家人之間最痛苦的回憶是什麼？
	41	在親戚之間印象最深的事是什麼？
	42	家人之間有訂下什麼規範嗎？
	43	家庭的教育方針是什麼？
	44	家庭的經濟狀況如何？
高中	45	與父親的關係如何？
	46	與母親的關係如何？
	47	與兄弟姊妹的關係如何？
	48	與祖父母的關係如何？
	49	與親戚間的關係如何？
	50	有養過寵物嗎？有什麼樣的回憶呢？
	51	你在家人之中擔任什麼樣的角色？
	52	你在親戚之中擔任什麼樣的角色？
	53	家人之間最美好的回憶是什麼？
	54	家人之間最痛苦的回憶是什麼？
	55	在親戚之間印象最深的事是什麼？
	56	家人之間有訂下什麼規範嗎？
	57	家庭的教育方針是什麼？
	58	家庭的經濟狀況如何？
大學	59	與父親的關係如何？
	60	與母親的關係如何？
	61	與兄弟姊妹的關係如何？
	62	與祖父母的關係如何？
	63	與親戚間的關係如何？
	64	有養過寵物嗎？有什麼樣的回憶呢？
	65	你在家人之中擔任什麼樣的角色？
	66	你在親戚之中擔任什麼樣的角色？
	67	家人之間最美好的回憶是什麼？

	68	家人之間最痛苦的回憶是什麼？
	69	在親戚之間印象最深的事是什麼？
	70	家人之間有訂下什麼規範嗎？
	71	家庭的教育方針是什麼？
	72	家庭的經濟狀況如何？
社會人士（二十歲開始）	73	與父親的關係如何？
	74	與母親的關係如何？
	75	與兄弟姊妹的關係如何？
	76	與祖父母的關係如何？
	77	與親戚間的關係如何？
	78	有養過寵物嗎？有什麼樣的回憶呢？
	79	你在家人之中擔任什麼樣的角色？
	80	你在親戚之中擔任什麼樣的角色？
	81	家人之間最美好的回憶是什麼？
	82	家人之間最痛苦的回憶是什麼？
	83	在親戚之間印象最深的事是什麼？
	84	家人之間有訂下什麼規範嗎？
	85	家庭的教育方針是什麼？
	86	家庭的經濟狀況如何？
現在	87	與父親的關係如何？
	88	與母親的關係如何？
	89	與兄弟姊妹的關係如何？
	90	與祖父母的關係如何？
	91	與親戚間的關係如何？
	92	有養過寵物嗎？有什麼樣的回憶呢？
	93	你在家人之中擔任什麼樣的角色？
	94	你在親戚之中擔任什麼樣的角色？
	95	家人之間最美好的回憶是什麼？
	96	家人之間最痛苦的回憶是什麼？
	97	在親戚之間印象最深的事是什麼？
	98	家人之間有訂下什麼規範嗎？
	99	家庭的教育方針是什麼？
	100	家庭的經濟狀況如何？

等級⑦　關於朋友、認識的人的一百個問題

開始	1	為什麼要回答後面的四百個問題呢？你的目的是什麼？
	2	回答後面的四百個問題後，想從中獲得什麼？
幼兒時期	3	在同年代的人之間，跟哪種類型的人比較處得來？
	4	在較年長的人之間，跟哪種類型的人比較處得來？
	5	在較年輕的人之間，跟哪種類型的人比較處得來？
	6	在同年代的人之間，對哪種類型的人感到頭痛？
	7	對哪種類型的長輩感到頭痛？
	8	對哪種類型的年輕人感到頭痛？
	9	在同年代的人之間，對哪種類型的人感到敬佩？
	10	在年長者之間，對哪種類型的人感到敬佩？
	11	在年輕一輩的人之間，對哪種類型的人感到敬佩？
	12	會愛上哪種類型的人？
	13	與朋友的相處態度為何？
	14	與年長者的相處態度為何？
	15	與年輕人的相處態度為何？
	16	與喜歡的人或男女朋友間的相處態度為何？
小學	17	在同年代的人之間，跟哪種類型的人比較處得來？
	18	在較年長的人之間，跟哪種類型的人比較處得來？
	19	在較年輕的人之間，跟哪種類型的人比較處得來？
	20	在同年代的人之間，對哪種類型的人感到頭痛？
	21	對哪種類型的長輩感到頭痛？
	22	對哪種類型的年輕人感到頭痛？
	23	在同年代的人之間，對哪種類型的人感到敬佩？
	24	在年長者之間，對哪種類型的人感到敬佩？
	25	在年輕一輩的人之間，對哪種類型的人感到欽佩？
	26	會愛上哪種類型的人？
	27	與朋友的相處態度為何？
	28	與年長者的相處態度為何？
	29	與年輕人的相處態度為何？
	30	與喜歡的人或男女朋友間的相處態度為何？
中學	31	在同年代的人之間，跟哪種類型的人比較處得來？
	32	在較年長的人之間，跟哪種類型的人比較處得來？
	33	在較年輕的人之間，跟哪種類型的人比較處得來？

	34	在同年代的人之間，對哪種類型的人感到頭痛？
	35	對哪種類型的長輩感到頭痛？
	36	對哪種類型的年輕人感到頭痛？
	37	在同年代的人之間，對哪種類型的人感到欽佩？
	38	在年長者之間，對哪種類型的人感到敬佩？
	39	在年輕一輩的人之間，對哪種類型的人感到欽佩？
	40	會愛上哪種類型的人？
	41	與朋友的相處態度為何？
	42	與年長者的相處態度為何？
	43	與年輕人的相處態度為何？
	44	與喜歡的人或男女朋友間的相處態度為何？
高中	45	在同年代的人之間，跟哪種類型的人比較處得來？
	46	在較年長的人之間，跟哪種類型的人比較處得來？
	47	在較年輕的人之間，跟哪種類型的人比較處得來？
	48	在同年代的人之間，對哪種類型的人感到頭痛？
	49	對哪種類型的長輩感到頭痛？
	50	對哪種類型的年輕人感到頭痛？
	51	在同年代的人之間，對哪種類型的人感到欽佩？
	52	在年長者之間，對哪種類型的人感到敬佩？
	53	在年輕一輩的人之間，對哪種類型的人感到欽佩？
	54	會愛上哪種類型的人？
	55	與朋友的相處態度為何？
	56	與年長者的相處態度為何？
	57	與年輕人的相處態度為何？
	58	與喜歡的人或男女朋友間的相處態度為何？
大學	59	在同年代的人之間，跟哪種類型的人比較處得來？
	60	在較年長的人之間，跟哪種類型的人比較處得來？
	61	在較年輕的人之間，跟哪種類型的人比較處得來？
	62	在同年代的人之間，對哪種類型的人感到頭痛？
	63	對哪種類型的長輩感到頭痛？
	64	對哪種類型的年輕人感到頭痛？
	65	在同年代的人之間，對哪種類型的人感到敬佩？
	66	在年長者之間，對哪種類型的人感到敬佩？
	67	在年輕一輩的人之間，對哪種類型的人感到敬佩？
	68	會愛上哪種類型的人？

	69	與朋友的相處態度為何？
	70	與年長者的相處態度為何？
	71	與年輕人的相處態度為何？
	72	與喜歡的人或男女朋友間的相處態度為何？
社會人士（二十歲開始）	73	在同年代的人之間，跟哪種類型的人比較處得來？
	74	在較年長的人之間，跟哪種類型的人比較處得來？
	75	在較年輕的人之間，跟哪種類型的人比較處得來？
	76	在同年代的人之間，對哪種類型的人感到頭痛？
	77	對哪種類型的長輩感到頭痛？
	78	對哪種類型的年輕人感到頭痛？
	79	在同年代的人之間，對哪種類型的人感到敬佩？
	80	在年長者之間，對哪種類型的人感到敬佩？
	81	在年輕一輩的人之間，對哪種類型的人感到敬佩？
	82	會愛上哪種類型的人？
	83	與朋友的相處態度為何？
	84	與年長者的相處態度為何？
	85	與年輕人的相處態度為何？
	86	與喜歡的人或男女朋友間的相處態度為何？
現在	87	在同年代的人之間，跟哪種類型的人比較處得來？
	88	在較年長的人之間，跟哪種類型的人比較處得來？
	89	在較年輕的人之間，跟哪種類型的人比較處得來？
	90	在同年代的人之間，對哪種類型的人感到頭痛？
	91	對哪種類型的長輩感到頭痛？
	92	對哪種類型的年輕人感到頭痛？
	93	在同年代的人之間，對哪種類型的人感到敬佩？
	94	在年長者之間，對哪種類型的人感到敬佩？
	95	在年輕一輩的人之間，對哪種類型的人感到敬佩？
	96	會愛上哪種類型的人？
	97	與朋友的相處態度為何？
	98	與年長者的相處態度為何？
	99	與年輕人的相處態度為何？
	100	喜歡的人或男女朋友間的相處態度為何？

等級⑧　關於課業、工作方面的一百個問題①

開始	1	為什麼要回答後面的三百個問題呢？你的目的是什麼？
	2	回答後面的三百個問題後，想從中獲得什麼？
幼兒時期	3	就讀哪一間托兒所或幼兒園呢？選擇的理由是什麼？
	4	一天之中最喜歡的時間是什麼時候？
	5	一天之中最討厭的時間是什麼時候？
	6	在課業或休閒活動之中，最想達到的目標是什麼？
	7	在課業或休閒活動之中，有經過努力而獲得成果的經驗嗎？
	8	在課業或休閒活動之中，有過感到挫折的經驗嗎？
	9	透過課業或休閒活動有什麼收穫呢？
	10	在成果發表會上，最想達到的目標是什麼？
	11	在成果發表會上，有哪些因為努力而有所收穫的經驗？
	12	在成果發表會上，有哪些受到挫折的經驗？
	13	透過成果發表得到什麼樣的收穫？
	14	在托兒所或幼兒園中會積極表達自己的意見嗎？
	15	會專心聽老師說話嗎？
	16	下課的時間都在玩些什麼？
小學	17	就讀哪一所小學呢？選擇這所學校的原因是什麼？
	18	喜歡的學科是什麼？
	19	討厭的學科是什麼？
	20	在課業上，什麼是你最想達成的目標？
	21	在課業上，有哪些因為努力而有所收穫的經驗？
	22	在課業上，有哪些受到挫折的經驗？
	23	透過課業，得到什麼樣的收穫？
	24	在社團活動上，最想達成的目標是什麼？
	25	在社團活動上，有哪些因為努力而有所收穫的經驗？
	26	在社團活動上，曾經受過什麼樣的挫折？
	27	透過社團活動有什麼樣的收穫？
	28	在課堂上會積極發言嗎？
	29	在上課時會專心嗎？
	30	對課後作業是以什麼樣的態度來面對？
中學	31	就讀哪一所中學呢？選擇這所學校的原因是什麼？
	32	喜歡的學科是什麼？

	33	討厭的學科是什麼？
	34	在課業上，什麼是你最想達成的目標？
	35	在課業上，有哪些因為努力而有所收穫的經驗？
	36	在課業上，有哪些受到挫折的經驗？
	37	透過課業，得到什麼樣的收穫？
	38	在社團活動上，最想達成的目標是什麼？
	39	在社團活動上，有哪些因為努力而有所收穫的經驗？
	40	在社團活動上，曾經受過什麼樣的挫折？
	41	透過社團活動有什麼樣的收穫？
	42	在課堂上會積極發言嗎？
	43	在上課時會專心嗎？
	44	對課後作業是以什麼樣的態度來面對？
高中	45	就讀哪一所高中呢？選擇這所學校的原因是什麼？
	46	喜歡的學科是什麼？
	47	討厭的學科是什麼？
	48	在課業上，什麼是你最想達成的目標？
	49	在課業上，有哪些因為努力而有所收穫的經驗？
	50	在課業上，有哪些受到挫折的經驗？
	51	透過課業，得到什麼樣的收穫？
	52	在社團活動上，最想達成的目標是什麼？
	53	在社團活動上，有哪些因為努力而有所收穫的經驗？
	54	在社團活動上，曾經受過什麼樣的挫折？
	55	透過社團活動有什麼樣的收穫？
	56	在課堂上會積極發言嗎？
	57	在上課時會專心嗎？
	58	對課後作業是以什麼樣的態度來面對？
大學	59	就讀哪一所大學呢？選擇這所學校的原因是什麼？
	60	喜歡的學科是什麼？
	61	討厭的學科是什麼？
	62	在課業上，什麼是你最想達成的目標？
	63	在課業上，有哪些因為努力而有所收穫的經驗？
	64	在課業上，有哪些受到挫折的經驗？
	65	透過課業，得到什麼樣的收穫？
	66	在社團活動上，最想達成的目標是什麼？
	67	在社團活動上，有哪些因為努力而有所收穫的經驗？

	68	在社團活動上，曾經受過什麼樣的挫折？
	69	透過社團活動有什麼樣的收穫？
	70	在課堂上會積極發言嗎？
	71	在上課時會專心嗎？
	72	對作業是以什麼樣的態度來面對？
社會人士（二十歲開始）	73	進哪一間公司工作？選擇這間公司的原因是什麼？
	74	喜歡的工作是什麼？
	75	討厭的工作是什麼？
	76	在工作上，什麼是你最想達成的目標？
	77	在工作上，有哪些因為努力而有所收穫的經驗？
	78	在工作上，有哪些受到挫折的經驗？
	79	透過工作，得到什麼樣的收穫？
	80	在每個專案中，最想達成的目標是什麼？
	81	在專案執行上，有哪些因為努力而有所收穫的經驗？
	82	在專案執行上，受到挫折的經驗是什麼？
	83	透過執行專案，得到什麼樣的收穫？
	84	在開會時會積極發言嗎？
	85	在開會時會專心嗎？
	86	對工作是以什麼樣的態度來面對？
現在	87	喜歡學哪一方面的事物？
	88	討厭學哪一方面的事物？
	89	喜歡的工作是什麼？
	90	討厭的工作是什麼？
	91	在學習方面留下最重要成果是什麼？
	92	在學習方面最後悔的事是什麼？
	93	從社團活動中有得到什麼重要的收穫嗎？
	94	在社團活動中最後悔的事是什麼？
	95	在擔任班級幹部時留下最重要的成果是什麼？
	96	在擔任班級幹部時最後悔的事是什麼？
	97	在課外活動中最大的收穫是什麼？
	98	在課外活動中最後悔的是什麼？
	99	在學習才藝方面最大的收穫是什麼？
	100	在學習才藝方面最後悔的是什麼？

等級⑨　關於課業、工作方面的一百個問題②

開始	1	為什麼要回答後面的二百個問題呢？你的目的是什麼？
	2	回答後面的二百個問題後，想從中獲得什麼？
幼兒時期	3	在學習才藝方面，最想達成的目標是什麼？
	4	在學習才藝方面，有哪些因為努力而有所收穫的經驗？
	5	在學習才藝方面，有哪些受到挫折的經驗？
	6	透過學習才藝，有什麼樣的收穫？
	7	在托兒所或幼兒園中，什麼是你最努力做過的事？
	8	老師在聯絡簿中寫下的評語有哪些？
小學	9	在擔任班級幹部時，最想達成的目標是什麼？
	10	在擔任班級幹部時，有經過努力而獲得成果的經驗嗎？
	11	在擔任班級幹部時，有感到挫折的經驗嗎？
	12	透過擔任班級幹部，有什麼樣的收穫？
	13	在課外活動中，最想達成的目標是什麼？
	14	在課外活動中，有哪些因為努力而有所收穫的經驗？
	15	在課外活動中，有哪些受到挫折的經驗？
	16	透過課外活動的參與，有什麼樣的收穫？
	17	在學習才藝方面，最想達成的目標是什麼？
	18	在學習才藝方面，有經過努力而獲得成果的經驗嗎？
	19	在學習才藝方面，有感到挫折的經驗嗎？
	20	透過學習才藝，有什麼樣的收穫？
	21	在小學時，你最努力做過的事是什麼？
	22	老師在聯絡簿中寫下的評語有哪些？
中學	23	在擔任班級幹部時，最想達成的目標是什麼？
	24	在擔任班級幹部時，有經過努力而獲得成果的經驗嗎？
	25	在擔任班級幹部時，有感到挫折的經驗嗎？
	26	透過擔任班級幹部，有什麼樣的收穫？
	27	在課外活動中，最想達成的目標是什麼？
	28	在課外活動中，有哪些因為努力而有所收穫的經驗？
	29	在課外活動中，有哪些受到挫折的經驗？
	30	透過課外活動的參與，有什麼樣的收穫？
	31	在學習才藝方面，最想達成的目標是什麼？
	32	在學習才藝方面，有經過努力而獲得成果的經驗嗎？
	33	在學習才藝方面，有感到挫折的經驗嗎？

	34	透過學習才藝，有什麼樣的收穫？
	35	在中學時，你最努力做過的事是什麼？
	36	老師在聯絡簿中寫下的評語有哪些？
高中	37	在擔任班級幹部時，最想達成的目標是什麼？
	38	在擔任班級幹部時，有經過努力而獲得成果的經驗嗎？
	39	在擔任班級幹部時，有感到挫折的經驗嗎？
	40	透過擔任班級幹部，有什麼樣的收穫？
	41	在課外活動中，最想達成的目標是什麼？
	42	在課外活動中，有哪些因為努力而有所收穫的經驗？
	43	在課外活動中，有哪些感到挫折的經驗？
	44	透過課外活動的參與，有什麼樣的收穫？
	45	在學習才藝方面，最想達成的目標是什麼？
	46	在學習才藝方面，有經過努力而獲得成果的經驗嗎？
	47	在學習才藝方面，有感到挫折的經驗嗎？
	48	透過學習才藝，有什麼樣的收穫？
	49	在高中時，你最努力做過的事是什麼？
	50	老師在聯絡簿中寫下的評語有哪些？
	51	在打工時，最想達成的目標是什麼？
	52	在打工時，有經過努力而獲得成果的經驗嗎？
	53	在打工時，有受到挫折的經驗嗎？
	54	在打工時，有什麼樣的收穫？
大學	55	在大學的課程中，最想達成的目標是什麼？
	56	在大學的課程裡，有哪些因為努力而有所收穫的經驗？
	57	在大學的課程裡，有感到挫折的經驗嗎？
	58	透過大學的課程，有什麼樣的收穫？
	59	在課外活動中，最想達成的目標是什麼？
	60	在課外活動中，有哪些因為努力而有所收穫的經驗？
	61	在課外活動中，有感到挫折的經驗嗎？
	62	透過課外活動的參與，有什麼樣的收穫？
	63	在學習才藝方面，最想達成的目標是什麼？
	64	在學習才藝方面，有經過努力而獲得成果的經驗嗎？
	65	在學習才藝方面，有感到挫折的經驗嗎？
	66	透過學習才藝，有什麼樣的收穫？
	67	在大學時，你最努力做過的事是什麼？
	68	教授對你大多有什麼樣的評價？

	69	在打工時，最想達成的目標是什麼？
	70	在打工時，有經過努力而獲得成果的經驗嗎？
	71	在打工時，有受到挫折的經驗嗎？
	72	在打工時，有什麼樣的收穫？
社會人士（二十歲左右）	73	在兼職時，最想達成的目標是什麼？
	74	在兼職時，有經過努力而獲得成果的經驗嗎？
	75	在兼職時，有受到挫折的經驗嗎？
	76	在兼職時，有什麼樣的收穫？
	77	在公司的團體活動裡，最想達成的目標是什麼？
	78	在公司團體活動時，有經過努力而獲得成果的經驗嗎？
	79	在公司團體活動時，有受到挫折的經驗嗎？
	80	在公司團體活動時，有什麼樣的收穫？
	81	在學習才藝方面，最想達成的目標是什麼？
	82	在學習才藝方面，有經過努力而獲得成果的經驗嗎？
	83	在學習才藝方面，有感到挫折的經驗嗎？
	84	透過學習才藝，有什麼樣的收穫？
	85	在公司裡感到最熱衷的事是什麼？
	86	上司對你大多有什麼樣的評價？
現在	87	在課業上最高興的事是什麼？
	88	在課業上最痛苦的事是什麼？
	89	在工作上最高興的事是什麼？
	90	在工作上最痛苦的事是什麼？
	91	在工作上最有成就的一件事是什麼？
	92	在工作上最後悔的一件事是什麼？
	93	在打工時，最有成就的一件事是什麼？
	94	在打工時，最後悔的一件事是什麼？
	95	在兼職上最有成就的一件事是什麼？
	96	在兼職上最後悔的一件事是什麼？
	97	現在什麼是你最想學的事物？
	98	目前為止曾經深度學習的領域是哪一部分？
	99	目前為止最想做的工作是什麼？
	100	目前為止做得最上手的業務是什麼？

等級⑩　關於興趣、愛好方面的一百個問題

開始	1	為什麼要回答後面一百個問題呢？你的目的是什麼？
	2	回答後面的一百個問題後，想從中獲得什麼？
幼兒時期	3	喜歡的食物或飲料是什麼？
	4	喜歡用什麼方式度過個人的時間？
	5	喜歡什麼遊戲？
	6	喜歡什麼漫畫？
	7	喜歡什麼顏色？
	8	喜歡什麼樣的美術作品？
	9	喜歡的繪本是什麼？
	10	喜歡的戲劇、電影有哪些？
	11	喜歡的電視節目有哪些？
	12	喜歡的音樂有哪些？
	13	喜歡的品牌有哪些？
	14	喜歡的國家、地區有哪些？
幼兒時期	15	喜歡的食物或飲料是什麼？
	16	喜歡用什麼方式度過個人的時間？
	17	喜歡什麼遊戲？
	18	喜歡什麼漫畫？
	19	喜歡什麼顏色？
	20	喜歡什麼樣的美術作品？
	21	喜歡的繪本是什麼？
	22	喜歡的戲劇、電影有哪些？
	23	喜歡的電視節目有哪些？
	24	喜歡的音樂有哪些？
	25	喜歡的品牌有哪些？
	26	喜歡的國家、地區有哪些？
小學	27	喜歡的食物或飲料是什麼？
	28	喜歡用什麼方式度過個人的時間？
	29	喜歡什麼遊戲？
	30	喜歡什麼漫畫？
	31	喜歡什麼顏色？
	32	喜歡什麼樣的美術作品？
	33	喜歡的繪本是什麼？

	34	喜歡的戲劇、電影有哪些？
	35	喜歡的電視節目有哪些？
	36	喜歡的音樂有哪些？
	37	喜歡的品牌有哪些？
	38	喜歡的國家、地區有哪些？
中學	39	喜歡的食物或飲料是什麼？
	40	喜歡用什麼方式度過個人的時間？
	41	喜歡什麼遊戲？
	42	喜歡什麼漫畫？
	43	喜歡什麼顏色？
	44	喜歡什麼樣的美術作品？
	45	喜歡的繪本是什麼？
	46	喜歡的戲劇、電影有哪些？
	47	喜歡的電視節目有哪些？
	48	喜歡的音樂有哪些？
	49	喜歡的品牌有哪些？
	50	喜歡的國家、地區有哪些？
高中	51	喜歡的食物或飲料是什麼？
	52	喜歡用什麼方式度過個人的時間？
	53	喜歡什麼遊戲？
	54	喜歡什麼漫畫？
	55	喜歡什麼顏色？
	56	喜歡什麼樣的美術作品？
	57	喜歡的繪本是什麼？
	58	喜歡的戲劇、電影有哪些？
	59	喜歡的電視節目有哪些？
	60	喜歡的音樂有哪些？
	61	喜歡的品牌有哪些？
	62	喜歡的國家、地區有哪些？
大學	63	喜歡的食物或飲料是什麼？
	64	喜歡用什麼方式度過個人的時間？
	65	喜歡什麼遊戲？
	66	喜歡什麼漫畫？
	67	喜歡什麼顏色？
	68	喜歡什麼樣的美術作品？

	69	喜歡的繪本是什麼？
	70	喜歡的戲劇、電影有哪些？
	71	喜歡的電視節目有哪些？
	72	喜歡的音樂有哪些？
	73	喜歡的品牌有哪些？
	74	喜歡的國家、地區有哪些？
社會人士（二十歲左右）	75	喜歡的食物或飲料是什麼？
	76	喜歡用什麼方式度過個人的時間？
	77	喜歡什麼遊戲？
	78	喜歡什麼漫畫？
	79	喜歡什麼顏色？
	80	喜歡什麼樣的美術作品？
	81	喜歡的繪本是什麼？
	82	喜歡的戲劇、電影有哪些？
	83	喜歡的電視節目有哪些？
	84	喜歡的音樂有哪些？
	85	喜歡的品牌有哪些？
	86	喜歡的國家、地區有哪些？
現在	87	喜歡的食物或飲料是什麼？
	88	喜歡用什麼方式度過個人的時間？
	89	喜歡什麼遊戲？
	90	喜歡什麼漫畫？
	91	喜歡什麼顏色？
	92	喜歡什麼樣的美術作品？
	93	喜歡的繪本是什麼？
	94	喜歡的戲劇、電影有哪些？
	95	喜歡的電視節目有哪些？
	96	喜歡的音樂有哪些？
	97	喜歡的品牌有哪些？
	98	喜歡的國家、地區有哪些？
結論	99	回答一千個問題後，有達到原本的目標嗎？
	100	回答一千個問題後，有什麼收穫？

國家圖書館出版品預行編目（CIP）資料

筆記的魔力 / 前田裕二著 ; 陳維玉，吳乃慧譯
-- 第一版 . -- 臺北市 : 天下雜誌 , 2019.07
288 面 ; 14.8 ╳ 21 公分 . --（商業思潮 ; 100）
ISBN 978-986-398-460-3(平裝)
1. 筆記法
019.2 108011693

商業思潮 100

筆記的魔力

メモの魔力

作　　者／前田裕二
譯　　者／陳維玉、吳乃慧

總 編 輯／莊舒淇 Sheree Chuang
執行編輯／周采華
校　　稿／莊淑淇
美術設計／集一堂

發 行 人／殷允芃
出 版 者／天下雜誌股份有限公司
地　　址／台北市 104 南京東路二段 139 號 11 樓
讀者服務／ (02) 2662-0332　傳真／ (02) 2662-6048
天下雜誌 GROUP 網址／ http://www.cw.com.tw
劃撥帳號／ 0189500-1 天下雜誌股份有限公司
法律顧問／台英國際商務法律事務所・羅明通律師
總 經 銷／大和書報圖書股份有限公司　電話／（02）8990 -2588
出版日期／ 2019 年 7 月第一版第一次印行
定　　價／ 350 元

書號：BCLB0100P
ISBN：978-986-398-460-3

天下網路書店：http://www.cwbook.com.tw
天下讀者俱樂部粉絲團：https://www.facebook.com/cwbookclub
天下雜誌出版 2 里山富足悅讀臉書粉絲團：http://www.facebook.com/Japanpub
「天下新學院」部落格網址：http://newacademism.pixnet.net/blog

天下 雜誌
觀 念 領 先